Bianca™

Maggie Cox

Rumbo al deseo

Editado por HARLEQUIN IBÉRICA, S.A.
Núñez de Balboa, 56
28001 Madrid

RUMBO AL DESEO, N.º 2269 - 6.11.13
Título original: In Petrakis's Power
Publicada originalmente por Mills & Boon®, Ltd., Londres.

I.S.B.N.: 978-84-687-3589-4
Depósito legal: M-24103-2013
Editor responsable: Luis Pugni
Fotomecánica: M.T. Color & Diseño, S.L. Las Rozas (Madrid)
Impresión en Black print CPI (Barcelona)
Fecha impresion para Argentina: 5.5.14
Distribuidor exclusivo para España: LOGISTA
Distribuidor para México: CODIPLYRSA
Distribuidores para Argentina: interior, BERTRAN, S.A.C. Vélez Sársfield, 1950. Cap. Fed./ Buenos Aires y Gran Buenos Aires, VACCARO SÁNCHEZ y Cía, S.A.

Capítulo 1

BILLETES, por favor.

Natalie Carr, que acababa de sentarse después de correr como una loca para alcanzar el tren, metió la mano en su voluminoso bolso rojo de piel y abrió la cremallera del bolsillo interior para sacar el billete. El descubrimiento de que no estaba allí fue un shock para ella. Con el corazón latiéndole con fuerza, alzó la cabeza y sonrió al revisor con aire de disculpa.

–Lo siento... tiene que estar por aquí.

Pero no estaba. Intentó desesperadamente recordar su último viaje al cuarto de baño antes de correr hasta la plataforma para pillar el tren y tuvo la horrible sensación de que, después de mirar el número de asiento, había dejado el billete sobre el estante de cristal al lado del espejo para retocarse el pintalabios.

Buscó de nuevo en su bolso en vano y suspiró con frustración.

–Me temo que parece que he perdido el billete. He entrado en el lavabo antes de subir al tren y creo que lo he dejado allí. Si el tren no estuviera ya en marcha, iría a buscarlo.

–Lo siento, señorita, pero me temo que, a menos que pague otro billete, tendrá que bajarse en la próxima parada. Y también tiene que pagar el billete hasta allí.

El tono serio del revisor, un hombre mayor de pelo gris, daba a entender que no se iba a mostrar comprensivo. Y Natalie no llevaba más dinero encima. Su padre le había enviado el billete inesperadamente, junto con una perturbadora nota en la que le suplicaba que no lo abandonara en sus horas bajas y ella se había puesto nerviosa y había agarrado un bolso que solo tenía unas monedas sueltas en vez del billetero con su tarjeta de crédito.

–No puedo bajarme en la próxima parada. Es muy importante que llegue a Londres hoy. ¿No puedo darle mi nombre y dirección y prometo enviarle el dinero del billete cuando llegue a casa?

–Me temo que la política de la empresa es que...

–Yo pagaré el billete de la señorita. ¿Era de ida y vuelta?

Natalie reparó entonces en el único otro pasajero que había en el compartimento. Estaba sentado delante de una mesa al otro lado del pasillo. Su olor a colonia cara y el impecable traje gris oscuro que llevaba y que parecía sacado de un desfile de Armani lo delataban como un hombre de posibles.

Su aspecto, además, resultaba llamativo. Con pelo rubio, piel bronceada, ojos azul zafiro y un hoyuelo en la mejilla, resultaba claramente sexy. Mirar su rostro bien esculpido era como tener delante una escultura sublime de alguno de los grandes maestros.

Una oleada de calor hizo que Natalie tensara todos los músculos del cuerpo. Se puso en guardia. No conocía a aquel hombre ni sus motivos para ofrecerse a pagarle el billete y recordó que los periódicos estaban llenos de historias sobre mujeres ingenuas engañadas por hombres supuestamente respetables.

–Es usted muy amable, pero no puedo aceptarlo. No lo conozco.

–Permita que solucione el tema del billete y me presentaré –repuso él con un rastro de acento que ella no consiguió identificar.

–Pero no puedo permitir que me pague el billete.

–Ha dicho que es muy importante que llegue a Londres hoy. ¿Le parece inteligente rehusar ayuda cuando se la ofrecen?

Natalie sabía que estaba en un aprieto, pero intentó resistirse.

–Sí, necesito llegar a Londres, pero usted no me conoce ni yo a usted tampoco.

–¿Tiene miedo de confiar en mí? –preguntó él.

Su sonrisa regocijada hizo que ella se sintiera muy torpe.

–¿Quiere un billete sí o no, señorita? –preguntó el revisor, claramente exasperado.

–No creo que...

–La señorita quiere un billete, gracias –intervino el desconocido.

No solo tenía la belleza de un Adonis, sino que además su voz era grave, persuasiva e innegablemente sexy. La determinación de Natalie se debilitó peligrosamente.

–De acuerdo. Si está seguro...

La necesidad de llegar a Londres acabó con sus reservas. Además, su instinto le decía que el hombre era sincero y no suponía ningún peligro. Rezó para que su instinto no se equivocara. Mientras, el revisor los miraba claramente sorprendido, como preguntándose por qué aquel pasajero elegante insistía en pagarle el billete a una desconocida. Después de todo, Natalie sabía que, con su ropa bohemia, sus mechas rubias ya desgastadas y su poco maquillaje, no era la clase de mujer que atrajera a un hombre rico y atractivo como aquel. Pero si el lápiz de ojos de color humo que había usado para resaltar sus grandes ojos grises ayudaba a crear la ilusión de que era más atractiva de lo que en realidad era, Natalie en ese momento agradecía el engaño, ya que sabía que no tenía más remedio que aceptar la amabilidad del hombre. Era vital que se reuniera con su padre.

No podía olvidar la voz angustiada de este cuando ella lo había llamado para decirle que había recibido el billete y él le había reiterado su necesidad urgente de verla. No era típico de él admitir una necesidad humana y sugería que era tan falible y frágil como todos los demás, cosa que ella había sabido siempre. Una vez, mucho tiempo atrás, había oído a su madre acusarlo con rabia de ser incapaz de querer o necesitar a alguien. Le había gritado que el verdadero amor de su vida eran su negocio y su ambición de aumentar su cuenta bancaria, y Natalie no dudaba de que esa obsesión de él había sido un factor importante en su ruptura.

Después del divorcio, su madre había tomado la decisión de volver a Hampshire, donde había pasado gran parte de su juventud, y Natalie, que entonces tenía dieciséis años, había optado por acompañarla. Aunque quería a su padre y sabía que era afable y encantador, sabía también que era demasiado impredecible como para vivir con él. Pero en los últimos años lo había visitado todo lo que había podido y se había convencido de que en el fondo él sabía que el dinero no podía reemplazar al hecho de tener cerca a los seres queridos.

De vez en cuando, ella había visto en sus ojos soledad y tristeza por el alejamiento de su familia. Su tendencia a intentar compensar ese dolor con la compañía de mujeres jóvenes y atractivas, no parecía que lo hiciera tampoco feliz. Natalie había notado que parecía descontento con todo... incluido el éxito de su cadena de tiendas de bisutería, con la que había hecho su fortuna.

–Solo necesito ida –dijo al atractivo desconocido, que no parecía nada perturbado porque ella hubiera tardado tanto en decidirse a aceptar su oferta–. Y no tiene por qué ser en primera clase. Mi padre me envió el billete, pero a mí no me importa viajar en segunda, como siempre.

Miró avergonzada cómo el desconocido entregaba su tarjeta de crédito al revisor, y se sintió aún más incómoda cuando él no le hizo caso y pidió un billete en primera. Natalie confió en que creyera su explicación de que su padre le había enviado el billete. Después de todo, estaba segura de que no parecía una típica pasajera de primera clase.

El revisor emitió el billete, les deseó a los dos un viaje agradable y se marchó. El desconocido tendió el billete a Natalie con una sonrisa. Esta lo aceptó con la cara muy roja.

–Es usted muy amable. Gracias. Muchas gracias.

–Ha sido un placer.

–¿Quiere darme su nombre y dirección para que le mande lo que le debo? –Natalie tomó su bolso para buscar papel y bolígrafo.

–Habrá tiempo de sobra para eso. ¿Por qué no lo dejamos hasta que lleguemos a Londres?

Ella dejó el bolso en el asiento que tenía al lado y suspiró.

–¿Por qué no nos presentamos? –sugirió su compañero de viaje–. Así quizá nos sentiremos menos incómodos.

–Está bien. Yo me llamo Natalie.

–Yo soy Ludovic, pero mi familia y mis amigos me llaman Ludo.

Ella frunció el ceño.

–Un nombre muy poco corriente.

–Es un nombre de familia –él se encogió de hombros–. ¿Y Natalie? ¿También es un nombre heredado?

–No. En realidad, era el nombre de la mejor amiga de mi madre en el colegio. Tuvo la desgracia de morir de adolescente y mi madre me puso este nombre en honor a ella.

–Un gesto muy bonito. Si no te importa que te lo diga, hay algo en ti que sugiere que no eres del todo inglesa. ¿Me equivoco?

–Soy mitad griega. Mi madre nació y creció en Creta, aunque vino a trabajar a Inglaterra con diecisiete años.

–¿Y tu padre?

–Es inglés. De Londres.

El enigmático Ludo enarcó las cejas.

–¿O sea, que llevas el calor del Mediterráneo en tu sangre junto con el frío del Támesis? ¡Qué interesante!

–Es un modo novedoso de describirlo –ella frunció el ceño. No quería que se notara que no le había gustado el comentario y se preguntó cómo podría darle a entender sin ofenderlo que quería tener tiempo para ella antes de llegar a Londres.

–Veo que te he ofendido –murmuró él–. Perdóname. Desde luego, no era esa mi intención.

–En absoluto. Es solo... que tengo mucho que pensar antes de mi llegada.

–¿Vas a Londres por motivos de trabajo?

–Ya te he dicho que mi padre me ha enviado el billete. Voy a reunirme con él. Hace tres meses que no lo veo y la última vez que hablamos parecía muy preocupado por algo. Espero que no sea su salud; ya tuvo un infarto una vez –Natalie se estremeció al recordarlo.

–Lo siento. ¿Vive en Londres?

–Sí.

–¿Y tú vives en Hampshire?

–Sí, vivo con mi madre en un pueblo pequeño llamado Stillwater. ¿Lo conoces?

–Claro que sí. Tengo una casa a ocho kilómetros de allí, en un lugar llamado Winter Lake.

–¡Oh!

Winter Lake era uno de los enclaves más lujosos de Hampshire. La gente de la zona lo llamaba «la calle de los billonarios». Natalie había acertado con su primera impresión de que él era rico, y no sabía por qué, pero eso la ponía nerviosa.

Él se inclinó un poco hacia delante y apoyó las manos en el brazo del asiento. Natalie vio el grueso anillo de oro con un ónice que llevaba en el dedo meñique. Podía ser una joya de familia. La mirada azul zafiro de él la distrajo de su observación.

–Deduzco que tus padres estarán divorciados si vives con tu madre.

–Sí, así es. Esta noche me quedaré en casa de mi padre. Tenemos mucho que contarnos.

–¿Tu padre y tú estáis muy unidos?

La pregunta la pilló por sorpresa. Natalie miró los ojos azules de él y no supo qué contestar.

–Lo estábamos cuando yo era más joven. Después del divorcio, todo fue... bueno, fue muy difícil por un tiempo. Pero los dos últimos años ha mejorado mucho. Además, es el único padre que tengo y lo quiero, y por eso estoy ansiosa por llegar a Londres y descubrir qué es lo que le pasa.

–Se nota que eres una buena hija. Tu padre tiene mucha suerte de que te preocupes por él.

–Me gustaría ser buena hija, pero no siempre es

fácil. Él puede ser muy impredecible y no siempre es fácil entenderlo –Natalie se sonrojó. ¿Por qué le contaba todo eso a un desconocido?–. ¿Tú eres padre? –preguntó para distraer su ansiedad.

Vio que él fruncía los labios y se arrepintió inmediatamente de la pregunta. Supuso que había cruzado un límite sin saberlo.

–No. Yo opino que los niños necesitan un entorno estable, y mi vida en este momento es demasiado exigente y ajetreada para ofrecerles eso.

–Y, presumiblemente, tú también tendrías que estar en una relación estable, ¿no?

A él le brillaron los ojos con regocijo, pero Natalie adivinó que no tenía prisa por aclararle su situación romántica. ¿Y por qué iba a hacerlo? Después de todo, ella no era más que una chica a la que había ayudado espontáneamente porque había cometido la estupidez de dejarse el billete del tren en el baño.

–Desde luego.

Su respuesta resultaba enigmática. Natalie reprimió un bostezo y decidió aprovechar la oportunidad como vía de escape.

–Creo que voy a cerrar los ojos un rato, si no te importa. Anoche fui a cenar con una amiga para celebrar su cumpleaños y me acosté tarde. Estoy cansada.

–Adelante. Intenta descansar. Además, yo tengo trabajo –Ludo señaló el delgado portátil plateado que tenía abierto en la mesa–. Hablaremos luego.

Aquello sonó curiosamente como una promesa.

Natalie se recostó en el lujoso asiento, cerró los ojos y no tardó en quedarse dormida. Pronto empezó a soñar.

Gritaba de alegría en el amplio jardín del hogar de su infancia en Londres mientras su padre giraba y giraba con ella en brazos.

–¡Papá, para, para! ¡Me estoy mareando! –gritó ella.

Al girar veía trozos de cielo azul de verano y el sol en la cara le producía una gran sensación de bienestar. Un coro de ruiseñores animaba el aire. El idilio quedó interrumpido cuando su madre los llamó para tomar el té.

El sueño terminó tan abruptamente como había empezado. Natalie lamentó no poder recuperarlo al instante. De pequeña creía de verdad que la vida era maravillosa. Se sentía segura y sus padres siempre habían parecido felices juntos.

La despertó el sonido de la puerta y vio que entraba una empleada con uniforme empujando un carrito con refrescos. Era una mujer joven y esbelta, con el pelo color caoba recogido atrás y una sonrisa alegre.

–¿Quiere tomar algo, señor? –preguntó a Ludo.

Él volvió la cabeza hacia Natalie.

–Veo que has regresado a la tierra de los vivos. ¿Quieres un café y un sándwich? Casi es la hora de almorzar.

–¿Ah, sí?

Natalie se enderezó en el asiento y miró su reloj. Le sorprendió descubrir que había dormido casi una hora.

–Una taza de café estaría bien –dijo, buscando unas monedas en su bolso.

–Guarda tu dinero –Ludo frunció el ceño–. Invito yo. ¿Cómo te gusta el café, solo o con leche?

–Con leche y azúcar, por favor.

–¿Y un sándwich? –él miró a la empleada–. ¿Puedo ver la carta?

La chica se la entregó y él se la pasó a Natalie. Esta pensaba decirle que no tenía hambre, pero la traicionó su estómago con un gemido audible. Se sonrojó y miró la carta.

–Tomaré el sándwich de jamón con mostaza y pan integral, por favor. Gracias.

–Dos de esos, un café solo y otro con leche –pidió Ludo.

La mujer les sirvió el pedido y se marchó.

–Parecías un poco molesta cuando dormías –comentó Ludo.

Natalie recordó su sueño y pensó que quizá habría gritado sin darse cuenta cuando su padre le daba vueltas en el aire.

–¿He hablado en sueños? –preguntó.

–No, pero has roncado un poco –bromeó él.

–¡Yo no ronco! –dijo ella a la defensiva–. No he roncado nunca en mi vida. Al menos que yo sepa.

–Tu novio seguramente es demasiado bueno para decírtelo –él sonrió y tomó un sorbo de café.

Natalie miró fijamente su perfil y le latió con fuerza el corazón.

–No tengo novio. Y, aunque lo tuviera, tú no deberías asumir que... –se interrumpió.

–¿Que dormís juntos? –preguntó él.

Natalie, que no quería quedar como una chica ingenua e inexperta ante un hombre que parecía tan sofisticado como él, no contestó. Mordió el sándwich y removió el azúcar en el café.

–Está muy bueno –murmuró–. No me había dado cuenta del hambre que tenía. Pero supongo que es porque esta mañana no he desayunado.

–Deberías procurar desayunar siempre.

–Eso mismo dice mi madre.

–¿Antes has dicho que ella es de Creta?

–Pues sí. ¿Has estado allí?

–Sí. Es una hermosa isla.

–Yo solo he ido un par de veces, pero me encantaría volver –a ella le brillaron los ojos–. Aunque pasa el tiempo y siempre surge algo.

–¿Tienes una profesión muy exigente? –preguntó él.

Natalie sonrió.

–Mi madre y yo llevamos un *bed and breakfast* juntas. Y me encanta.

–¿Y qué es lo que más te gusta de eso? ¿Las tareas cotidianas como recibir a los huéspedes, hacer las camas y preparar la comida? ¿O quizá te gusta más la parte de dirigir el negocio?

En privado, ella admitía que la había inspirado el hecho de que su padre dirigiera un negocio hotelero. Al crecer había ido aprendiendo distintas cosas de él.

–Un poco de todo –contestó–. Pero mi madre es la que más personas recibe. Es la anfitriona y cocinera más sublime del mundo y los huéspedes la adoran. Yo me ocupo de la parte del negocio y de procurar que todo marche bien. Supongo que a mí me sale de un modo más natural que a ella.

Ludo sonrió.

–¿O sea, que te gusta estar al cargo?

La pregunta hizo sonrojarse a Natalie. ¿Quizá él creía que estaba presumiendo?

–¿Parezco mandona y controladora? –preguntó.

Él negó con la cabeza.

–En absoluto. ¿Por qué te vas a poner a la defensiva por ser capaz de hacerte cargo de un negocio? Este no podría tener éxito si alguien no tomara las riendas. Desde mi punto de vista, es una cualidad admirable y deseable.

–Gracias.

Natalie pensó que Ludo había revelado muy poco de sí mismo y había conseguido que ella divulgara ya mucho sobre su vida. Se dio cuenta de que quería saber algo más de él. Quizá era hora de que cambiaran las tornas.

–¿Puedo preguntarte a qué te dedicas? –inquirió.

Ludo parpadeó. Miró fijamente al frente unos segundos interminables y por fin volvió la cabeza y la premió con una de sus sonrisas magnéticas. A ella le dio un vuelco el corazón y descubrió que no podía apartar la vista de los ojos de él.

–Tengo intereses en distintas cosas, Natalie.

–¿O sea, que diriges un negocio?

Él se encogió de hombros. ¿Por qué se mostraba tan misterioso? ¿Pensaba que quería ligar con él porque era rico?

–Prefiero no estropear este viaje tan agradable contigo hablando de lo que hago –explicó él–. Además, me apetece mucho más hablar de ti.

–Yo ya te he contado a qué me dedico.

–Pero lo que haces no es lo que tú eres. Me gustaría saber algo más de tu vida... las cosas que te interesan y por qué.

Natalie se sonrojó. Aquella declaración inesperada, combinada con la afirmación de que disfrutaba viajando con ella, le produjo un placer inesperado. La última vez que recordaba haber sentido un placer así había sido la primera vez que la besó un chico del colegio que le gustaba mucho. Su interés por él no había durado más de unos meses, pero nunca había olvidado el cosquilleo de excitación que le había producido el beso. Había sido un beso tierno e inocente y ella lo recordaba con cariño.

Deslizó los dedos por su pelo, bajó la vista y se sintió de inmediato huérfana de la mirada azul cristalina de Ludo. ¿Cómo sería un beso de sus labios? Desde luego, no tendría nada de inexperto.

Molesta por ese pensamiento, respiró hondo.

–Si te refieres a mis pasatiempos o hobbies favorito, estoy segura de que los encontrarías corrientes y aburridos.

–Ponme a prueba –la invitó él con una sonrisa.

«Cuando me miras así, no puedo pensar en nada que no sean los hoyuelos que te salen en las mejillas cuando sonríes».

Ese pensamiento hizo que Natalie se sonrojara

aún más. Apartó la vista para recuperar la compostura.

–Me gustan placeres sencillos como leer e ir al cine. Me encanta ver una buena película que me aparte de las preocupaciones de mi vida y me transporte a la historia de otra persona... sobre todo si es optimista. También me gusta escuchar música y dar largos paseos por el campo o por la playa.

–Nada de eso me parece corriente ni aburrido –repuso Ludo–. Además, a veces las cosas más corrientes de la vida, esas que damos por sentadas, pueden ser las mejores. ¿No te parece? A mí me gustaría tener más tiempo para disfrutar de algunos de esos placeres que has mencionado.

–¿Por qué no puedes liberarte un poco? ¿Tienes que estar tan ocupado todo el tiempo?

Ludo frunció el ceño y pareció considerar la pregunta durante un rato. Mientras pensaba, miraba a Natalie con tal intensidad que ella se sonrojó y apartó la vista para mirar su reloj.

–Pronto llegaremos a Londres –anunció. Tomó su bolso y sacó una libreta y un bolígrafo–. ¿Podrías darme tu nombre y dirección para que te envíe el dinero del billete?

–Podemos esperar hasta que bajemos del tren –contestó él. Mordió el sándwich.

Natalie quería insistir, pero decidió no hacerlo. ¿Qué más daba anotar su dirección en ese momento o más tarde, siempre que la consiguiera? Su madre le había inculcado que pagara siempre sus deudas.

Guardó silencio. Ludo vio que ella no comía y frunció el ceño.

–Come –le aconsejó–. Si no has desayunado, lo necesitarás. Especialmente si te espera un encuentro difícil con tu padre.

–¿Difícil?

–Quiero decir emotivo. Si tiene problemas de salud, la conversación no será fácil para ninguno de los dos.

Natalie sintió una punzada de miedo. Temía que la urgencia de su padre por verla se debiera a que quería decirle que había recibido un diagnóstico malo de su médico. Habían tenido sus más y sus menos a lo largo de los años, pero ella lo adoraba y no le gustaría nada que se lo quitaran cuando acababa de cumplir los sesenta.

–Tienes razón, seguramente será emotivo –mordisqueó el sándwich, pensativa.

–Estoy seguro de que, pase lo que pase, los dos encontraréis un gran consuelo en la compañía del otro.

En ese momento sonó el móvil de Ludo y este saludó al que llamaba, cubrió el altavoz con la mano y miró a Natalie.

–Me temo que tengo que contestar esta llamada. Voy a salir unos minutos al pasillo.

Se levantó y a ella le sorprendió ver lo alto que era... un metro noventa por lo menos. Su cuerpo bajo el impecable traje italiano que llevaba parecía atlético y musculoso y ella no pudo evitar mirarlo con admiración. Al instante le preocupó parecer una colegiala boba que miraba a su ídolo con la boca abierta y se obligó a relajarse. Asintió.

–Por favor, adelante.

Ludo abrió la puerta del compartimento y la miró un momento con una chispa en los ojos.

–Por lo que más quieras, no huyas, Natalie. Por favor.

Capítulo 2

ASUMO que todos los papeles están preparados?

Mientras hablaba, Ludo valoraba la información detallada que acababan de darle. Al otro lado de la línea, Nick, su secretario, le confirmó que todo estaba listo. Ludo se pasó una mano por la barbilla bien afeitada y preguntó:

–¿Y has organizado la reunión para mañana como te pedí?

–Sí. Le dije al cliente que su abogado y él tienen que venir a la oficina a las diez cuarenta y cinco, como tú dijiste.

–¿Y has avisado a Godrich, mi padrino?

–Por supuesto.

–Bien. Parece que te has ocupado de todo. Te veré en el despacho esta tarde para echar un último vistazo a los papeles. Hasta luego.

Cuando terminó la llamada, Ludo apoyó la espalda en el panel de madera que cubría la pared del pasillo del tren e intentó en vano calmar los inesperados nervios que le producían mariposas en la boca del estómago. No era la llamada ni su contenido lo que lo había perturbado. Cerrar tratos y adquirir negocios potencialmente lucrativos que tenían problemas era algo normal para él, y tenía fama de convertir rápidamente sus nuevas adquisiciones en vetas de oro. Así era como había hecho su fortuna.

No, la razón de su inquietud era su compañera de tren. ¿Cómo era posible que una chica esbelta, de pelo castaño y grandes ojos grises le produjera aquella sensación tan excitante?

Movió la cabeza. Ella no se parecía a las voluptuosas rubias y pelirrojas que solían atraerlo y, sin embargo, tenía algo irresistible. De hecho, Ludo había quedado seducido por ella desde el momento en que había oído su voz suave. Y lo más sorprendente de todo era que encima había resultado ser medio griega. Ese paralelismo lo dejaba atónito.

Miró distraídamente varios mensajes que había sin leer en su móvil, apagó la pantallita con impaciencia y fijó la vista en el paisaje más allá de la ventanilla. La mezcla de edificios industriales viejos y nuevos y las ya familiares construcciones del siglo XXI que se elevaban hasta el cielo anunciaban que se acercaban a la ciudad. Tenía que tomar una decisión sobre si quería o no hacer algo con la atracción que sentía por ella. Estaba claro que la encantadora Natalie quería reembolsarle el billete, pero a él no le apetecía dar su dirección a desconocidas, por encantadoras y guapas que fueran.

Aunque lo había conquistado desde que entrara sin aliento en el compartimento de primera clase y él oliera su perfume sutil a mandarina y rosas, no tenía por costumbre tomar decisiones precipitadas.

Creía en seguir sus impulsos en los negocios, pero no solía aplicar el mismo método a sus aventuras románticas. El deseo sexual podía resultar peligrosamente engañoso. Era tentador para satisfacer su libido, pero dejaba de serlo si se convertía en un dolor de cabeza que no necesitaba.

Desgraciadamente, había tenido algunas de esas jaquecas. No le importaba regalar a sus citas alta costura o joyas exquisitas de vez en cuando, pero había descubierto que el sexo débil siempre quería mucho más de lo que él estaba dispuesto a dar. La mayoría de las veces, lo que querían sobre todo era una proposición de matrimonio. Y toda su riqueza no podía protegerlo de otra relación rota más porque la mujer en cuestión había desarrollado ciertas expectativas que él no estaba preparado para cumplir por mucho que su adorada familia le recordara que ya era hora de que se asentara con alguien.

El mayor deseo de su madre era ser abuela. Ludo era su único hijo y la decepcionaba continuamente porque, a sus treinta y seis años, no parecía para nada cerca de cumplir ese deseo. La mujer deseaba desesperadamente que conociera a una chica «apropiada», o sea, una chica que el padre de Ludo y ella aprobaran. Pero había descubierto que no era fácil encontrar mujeres cariñosas que desearan una relación e hijos más que riqueza y posición. Y como su riqueza y su reputación lo precedían, era fácil atraer precisamente al tipo de mujeres superficiales y ambiciosas a las que debería evitar.

Sinceramente, Ludo estaba cansado de ese tiovivo y en el fondo de su corazón anhelaba un alma gemela... si es que eso existía, una mujer cálida e inteligente con un buen sentido del humor y una disposición genuinamente bondadosa. Volvió a pensar en Natalie. Si se embarcaba en una relación con ella y ella descubría que era tan rico como Creso y tenía por amigos a algunos de los ejecutivos más influyentes de Europa, ya no estaría seguro de si se interesaba por él o por su dinero. Ya había dicho accidentalmente que vivía en una zona rica de Winter Lake. Además, ella habría adivinado que no le faltaba dinero si viajaba en primera clase y podía pagarle un billete sin pensárselo dos veces.

Natalie había dicho que su padre le había enviado el billete perdido. ¿Sería él rico? Seguramente sí. Y en ese caso, la guapa Natalie habría estado acostumbrada a ciertas comodidades antes de que se divorciaran sus padres. En una relación, ¿buscaría a alguien que fuera igual de rico o más?

Ludo frunció el ceño y decidió que tenía sentido que le pidiera su número de teléfono para volver a verla en vez de darle su dirección. Así tendría él el control de la situación, y si captaba en algún momento que iba detrás de su fortuna, la dejaría inmediatamente. Entretanto, podían verse para tomar una copa mientras ella estaba en Londres, con la excusa perfecta de permitirle que pagara su deuda. Si después de eso las cosas avanzaban satisfactoriamente entre ellos, Ludo estaría encantado de darle más información, incluida su dirección.

Satisfecho con la decisión, se pasó lo

el pelo y guardó el móvil en el bolsillo de la chaqueta. Antes de pulsar el botón que abría automáticamente las puertas del compartimento de primera clase, observó a través del cristal a Natalie, que miraba por la ventanilla con la barbilla apoyada en la mano, como soñando despierta. Ludo sonrió automáticamente. Estaba seguro de que accedería a quedar con él. ¿Qué motivo podía tener para no hacerlo?

–No comprendo. ¿Dices que quieres que salgamos a tomar una copa?

Estaban de pie en la plataforma y Natalie miraba con incredulidad al imponente Adonis que tenía delante. Seguro que había oído mal. La sorprendente sugerencia de él se parecía demasiado a una cita. Pero ¿por qué iba a hacer algo así? No tenía sentido.

Prácticamente todas las mujeres que habían bajado del tren lanzaban miraditas interesadas al hombre atractivo y elegante que había ante ella. Sin duda se preguntaban por qué una chica tan corriente como ella conseguía atraer la atracción de él más de un segundo.

–Sí, eso es –respondió él.

Apretaba la mandíbula y sus ojos azules tenían un brillo enigmático. Para Natalie, mirarlo a los ojos era como estar en el centro de una tormenta tropical... la sacudía como sacude el viento una planta frágil que amenaza con arrancar de raíz. Sostuvo el voluminoso bolso rojo sobre el pecho a modo de escudo protector y no pudo evitar fruncir el ceño. En lugar de subirle la autoestima hasta las nubes, la sugerencia de Ludo de que quedaran para tomar una copa había tenido el efecto contrario. Y no ayudaba el hecho de que sus vaqueros desgastados y su blusón de flores quedaban muy por debajo del traje italiano de él.

–¿Por qué? –preguntó–. Solo te he pedido la dirección para poder enviarte el dinero del billete. Ya me has dicho que eres un hombre ocupado, ¿por qué quieres tomarte la molestia de quedar conmigo en vez de dejar que te envíe un cheque por correo?

Él movió la cabeza divertido, como si la respuesta de ella no tuviera nada de normal. Natalie adivinó que no estaba acostumbrado a que las mujeres lo rechazaran.

–Aparte de que eso te permitirá pagarme personalmente el billete, me gustaría volver a verte –dijo él con seriedad–. ¿O es que no se te ha ocurrido esa posibilidad? Después de todo, en el tren me has dicho que estás libre, ¿recuerdas?

Era cierto. Le había dicho que no tenía novio. Se colocó mejor el bolso y se esforzó por mirarlo a los ojos

–¿Y tú estás libre? –preguntó–. Por lo que sé, puedes estar casado y tener seis hijos.

Ludo echó atrás la cabeza y soltó una carcajada. Ella nunca había encontrado tan sensual la risa de un hombre. De pronto, un fuerte deseo de volver a verlo se infiltró en su sangre y no podía ignorarlo... Aunque él habitara en un mundo muy distinto al suyo.

–Te puedo asegurar que no estoy casado ni soy padre de seis hijos. Ya te he dicho que estaba demasiado ocupado para eso. ¿No me crees? –dijo Ludo.

Su expresión se había vuelto seria de nuevo. Natalie se encogió de hombros.

–Solo voy a decir que espero que digas la verdad. La sinceridad es muy importante para mí. Muy bien. Entonces, ¿cuándo quieres que quedemos?

–¿Cuánto tiempo crees que estarás en Londres?

–Un par de días... a menos que mi padre me necesite más tiempo –ella no pudo ocultar un temblor de miedo en su voz ante la idea de que su padre estuviera enfermo. Para no pensar en ello, sonrió y añadió con rapidez–: No lo sé con seguridad.

–Si solo te vas a quedar un par de días, eso no nos deja mucho tiempo. En ese caso, creo que deberíamos quedar mañana por la noche, ¿no te parece? Puedo reservar una mesa en Claridges. ¿A qué hora te viene mejor?

–¿Te refieres al restaurante? ¿No habías dicho que solo iríamos a tomar una copa?

–¿Tú no cenas?

–Claro que sí, pero...

–¿A qué hora?

–¿A las ocho?

–A las ocho, entonces. Dame tu número de móvil para que pueda llamarte si me retraso.

Natalie frunció el ceño.

–De acuerdo, te lo daré, pero también puedo ser yo la que se retrase o no pueda ir si mi padre no está bien, en cuyo caso, estaría bien que tú me dieras tu número.

Ludo asintió con otra de sus enigmáticas sonrisas.

Natalie nunca se había acostumbrado a que un portero le abriera la puerta del lujoso edificio victoriano en el que tenía su padre el piso. Le hacía sentirse como una usurpadora audaz que se hiciera pasar por alguien importante.

Los modos de vida de su padre y de su madre se diferenciaban como el día y la noche. A su madre le gustaban las cosas sencillas y naturales de la vida mientras que su padre era un verdadero hedonista al que gustaban, quizá demasiado, las cosas materiales. Aunque trabajaba duro, tenía tendencia a ser temerario con el dinero.

Mientras subía en el ascensor, Natalie se iba poniendo más y más nerviosa por lo que podía encontrarse al llegar.

Cuando Bill Carr le abrió la puerta, su aspecto pareció confirmar los peores miedos de ella. A Natalie le sorprendió lo mucho que había envejecido desde la última vez que lo había visto. Solo habían pasado tres meses, pero el cambio en él era tan marcado como si hubieran sido tres años. Era un hombre alto, atractivo y distinguido, con un gusto por los trajes cortados al estilo tradicional en Savile Row, y su pelo canoso, todavía abundante, siempre mostraba un corte y un estilo excelentes. Siempre, menos aquel día. Ese día su pelo estaba revuelto, la camisa blanca se veía arrugada y los pantalones del traje tenían aspecto de que hubiera dormido con ellos puestos.

Natalie vio también, alarmada, que él llevaba un vaso de cristal en la mano que parecía contener una cantidad generosa de whisky. El hedor a alcohol cuando él abrió la boca lo confirmó.

–¡Natalie! Gracias a Dios que has venido. Me estaba volviendo loco pensando que no ibas a venir.

La abrazó y colocó la cabeza de ella en su pecho. Natalie soltó el bolso al suelo e hizo todo lo posible por relajarse. El instinto le decía que fuera lo que fuese lo que había hecho que su padre buscase el solaz de la bebida debía de ser algo serio.

Alzó la cabeza y sonrió.

–Yo jamás te fallaría, papá –se puso de puntillas y lo besó en la mejilla, donde el olor de su loción de afeitado se mezclaba con el más incongruente del whisky.

–¿Has tenido un buen viaje? –preguntó él. Cerró la puerta.

–Sí, gracias. Ha sido un placer viajar en primera, pero te podías haber ahorrado ese gasto, papá. Era innecesario.

–Yo siempre he querido darte lo mejor de todo, querida. Y eso no cambió cuando nos separamos tu madre y yo. ¿Cómo está, por cierto?

Natalie vio la expresión de intensidad de su padre y con ella el dolor que acarreaba todavía por la ruptura con su esposa. Sintió la boca seca. Empatizaba plenamente con la pérdida que todavía lo atormentaba.

–Sí, está muy bien. Me ha pedido que te diga que espera que tú también estés bien.

Su padre hizo una mueca y se encogió de hombros.

–Es una buena mujer tu madre. La mejor que he conocido. Es una vergüenza que no la apreciara más cuando estábamos juntos. En cuanto a tu comentario de que espera que esté bien, casi me mata admitir esto, querida, pero me temo que no estoy nada bien. Ven a la cocina y deja que te prepare un té. Luego te contaré lo que ocurre.

Esa afirmación confirmaba sus sospechas, pero a Natalie le resultó muy duro oírlo. Lo siguió hasta la moderna cocina de acero inoxidable y lo vio mojarse la manga cuando llenaba el hervidor de agua. ¿Era su imaginación o le temblaba la mano? Él tomó de nuevo el vaso de whisky y se dejó caer pesadamente en un taburete cercano.

–¿Qué ocurre, papá? ¿Has vuelto a tener dolores en el pecho? ¿Por eso querías verme con urgencia? Por favor, dímelo.

Su padre tomó un trago generoso de whisky y dejó el vaso con fuerza en la encimera. Se frotó los ojos con el dorso de la mano. La comunicación quedó suspendida durante varios segundos.

–Por una vez no es mi salud lo que está en juego aquí. No. Es mi modo de vida –hizo una mueca.

Fuera, de la calle, llegó el ruido estridente de un claxon. Natalie miró a su padre sorprendida y vio que hablaba totalmente en serio. Respiró hondo.

–¿Ha pasado algo con el negocio? ¿Tiene que ver con la disminución de ingresos? Sé que el país está pasando una crisis, pero seguro que puedes capear el temporal, papá. Siempre lo has hecho.

Bill Carr se mostraba sombrío.

–La cadena de hoteles lleva casi dos años sin tener beneficios, querida. En gran medida porque dejé de estar al día con los cambios y modernizaciones imprescindibles. Y ya no puedo permitirme conservar empleados del calibre de los que ayudaron a que fuera un éxito. Es muy propio de ti echarle la culpa a la economía, pero este no es el caso.

–¿Y por qué no puedes permitirte modernizar o conservar buenos empleados? Siempre has dicho que el negocio te ha dado una fortuna.

–Eso es muy cierto. Hice una fortuna. Pero desgraciadamente, no he podido mantenerla. Lo he perdido casi todo, Natalie. Y me temo que me veo obligado a vender el negocio con pérdidas para intentar sacar dinero para pagar todas las deudas que he acumulado.

A Natalie le dio un vuelco el corazón.

–¿Tan grave es la situación? –murmuró; no sabía qué decir.

Su padre se levantó y movió la cabeza.

–He hecho un gran desastre con mi vida y supongo que, como he sido temerario e irresponsable, ahora pago las consecuencias. Me lo merezco. Tenía todo lo que un hombre pudiera desear... una esposa hermosa, una hija encantadora y un trabajo que amaba. Pero lo tiré todo por la borda porque empezó a interesarme más buscar placer que vigilar el negocio.

–¿Te refieres a la bebida y las mujeres?

–Y todo lo demás. No creo que sea muy difícil entender por qué tuve un infarto.

Natalie, aunque un poco escandalizada por la confesión, quería ofrecerle consuelo, así que le tomó la mano y la estrechó entre las suyas.

–Eso no significa que vayas a tener otro. Las cosas mejorarán, te lo prometo. En primer lugar, tienes que dejar de culparte por lo que has hecho en el pasado y perdonarte. Luego tienes que jurar que no volverás a perjudicarte a ese nivel nunca más, que te vas a cuidar, a seguir adelante y a lidiar con lo que está pasando ahora. Has dicho que te ves obligado a vender el negocio con pérdidas. ¿A quién?

–A un hombre al que se conoce como «El alquimista» en el mundo de las fusiones y adquisiciones porque parece ser que puede convertir basura en diamantes. Un multimillonario griego llamado Petrakis. Es un tópico, lo sé, pero me ha hecho una oferta que no puedo rehusar. Al menos sé que tiene el dinero. Eso ya es algo, supongo. La cuestión es que necesito efectivo en el banco lo antes posible. El banco quiere ver el dinero de la venta mañana en mi cuenta o me declararán en bancarrota.

–¿No tienes otros activos? ¿Y el piso? ¿No es de tu propiedad?

–Me temo que está hipotecado –su padre soltó la mano de las de ella, hizo una mueca y empezó a frotarse el pecho.

A Natalie se le aceleró el corazón por efecto de la preocupación.

–¿Estás bien? ¿Llamo a un médico?

–Estoy bien. Seguramente solo necesite descansar un rato y dejar de beber tanto whisky. ¿Quieres hacerme una taza de té?

–Pues claro que sí. ¿Por qué no te tumbas con los pies en alto en el sofá de la sala de estar y yo te lo llevo allí?

Su padre la abrazó y le dio un beso en la frente. Natalie alzó la vista para mirarlo y vio que la sonrisa de él era cariñosa y orgullosa.

–Eres una buena chica... la mejor hija del mundo. Lamento no habértelo dicho más a menudo.

–Aunque mamá y tú os divorciarais, siempre he sabido que me querías –ella se separó con gentileza.

–A mi corazón le hace mucho bien oírte decir eso. No quiero abusar de ti, pero ¿podría pedirte otro favor?

Natalie sintió un nudo de emoción en la garganta. Le sonrió.

–Pide lo que quieras. Sabes que te ayudaré todo lo que pueda.

–Quiero que me acompañes mañana a la reunión con Petrakis y sus abogados. Necesito tu apoyo moral. ¿Lo harás?

Natalie supo instantáneamente que probablemente sería una de las cosas más difíciles que habría hecho jamás, ver a su padre entregar el negocio por el que había trabajado tanto todos esos años a un multimillonario griego que no tendría ni idea de lo mucho que significaba aquello para su padre ni le importaría que la venta pudiera partirle el corazón...

–Pues claro que iré –le puso una mano en la mejilla–. Ahora ve a relajarte y te llevaré una taza de té enseguida.

Su padre hundió los hombros y salió de la habitación. Natalie nunca había sentido animadversión hacia nadie, pero la sintió en ese momento hacia el multimillonario griego conocido como «El alquimista» que iba a comprarle el negocio a su padre por una miseria cuando sin duda podía permitirse comprarlo por mucho más dinero y dar así a su padre la oportunidad de recuperarse.

Capítulo 3

SI NATALIE no descansó mucho aquella noche, lo de su padre fue todavía peor. Ella lo oyó levantarse varias veces para pasear por el pasillo y en una ocasión en que olvidó cerrar la puerta de su habitación, lo oyó vomitar en su cuarto de baño. Aquello la asustó tanto, que corrió a golpear en la puerta, pero él le suplicó que lo dejara solo, le dijo que había pasado otras veces y que sabía cómo lidiar con ello; y Natalie no tuvo más remedio que volver de mala gana a su habitación, con el corazón encogido y muy asustada por si él sufría un ataque durante la noche.

Después de poco más de tres horas de sueño, se despertó con los ojos enrojecidos y agotada; la luz del sol entraba por la ventana, ya que había olvidado correr las cortinas la noche anterior.

Después de comprobar que su padre estaba despierto, entró en la cocina a preparar un café fuerte. Hizo también tostadas, sacó mermelada y lo llamó a la mesa.

Observó con ansiedad que la deslumbrante luz del sol no resultaba muy halagüeña para su padre esa mañana. Su complexión se veía gris cenicienta y enfermiza. El hombre hizo un débil intento por comer la tostada, pero bebió dos grandes tazas de café sin vacilar.

Después se limpió los labios con el dorso de la mano e hizo una mueca.

–Supongo que podríamos decir que ya estoy preparado para cualquier cosa.

La débil sonrisa que añadió a esa declaración casi le partió el corazón a Natalie.

–No tendrás que afrontar esto solo, papá. Estaré a tu lado en todo momento, te lo prometo.

–Lo sé, querida. Y, aunque sé que no merezco tu apoyo, te lo agradezco sinceramente y algún día, pronto, te compensaré por ello. Te lo prometo.

–No tienes que compensarme por nada. Somos familia, ¿recuerdas? Lo único que quiero es que estés bien y contento. ¿A qué hora tenemos que estar en la oficina de ese tal Petrakis?

–A las diez cuarenta y cinco.

–De acuerdo. Voy a ducharme y a vestirme, y pediré un taxi. ¿Dónde está la oficina a la que vamos?

–En Westminster.

–Entonces no está lejos. Tú también tienes que prepararte. ¿Necesitas que te planche algo? –preguntó ella.

Su padre se levantó y metió las manos en los bolsillos de la bata. Parecía confuso por la pregunta.

Natalie respiró hondo para calmar su inquietud y dijo:

–¿Quieres que vaya contigo y lo compruebe?

–No, querida, está bien. Me pondré mi mejor traje de Savile Row y tengo una camisa planchada colgada en el armario desde el día que me dijeron que la reunión sería hoy.

–Me alegro –Natalie sonrió con aprobación y miró el reloj de acero inoxidable que colgaba en la pared de la cocina–. Pues vamos a prepararnos entonces. No queremos llegar tarde.

–¿A la ejecución? –la sonrisa de él, teñida de amargura, no podría haber sido más triste. Pero el comentario contenía también un toque de humor irónico.

–Sé que debe de ser difícil para ti perder el negocio en el que has puesto tu alma y tu corazón –comentó ella–, pero esto también podría ser un comienzo nuevo y emocionante. Una oportunidad de invertir tu energía en otra cosa, algo menos exigente que puedas dirigir con más facilidad. Hasta la situación más difícil puede conllevar nuevas oportunidades.

–Y ¿cómo voy a montar otro negocio si apenas me queda dinero?

–¿Dirigir un negocio es el único modo de que puedas ganarte la vida?

–Es lo único que sé hacer –él suspiró y se pasó los dedos con exasperación por el cabello plateado ya revuelto.

Natalie, frustrada a su vez por no poder encontrar una solución instantánea que lo animara y le diera esperanza, puso los brazos en jarras e intentó pensar en algo.

–¿Y si le pedimos al tal Petrakis que haga gala

de cierta comprensión humanitaria y te pague una suma razonable por el negocio? Después de todo, si dices que tiene fama de convertir la basura en diamantes, seguramente sabrá que va a ganar una fortuna con tu cadena de hoteles. ¿Qué le costaría pagarte un precio más justo?

–Querida, esto no lo digo como una crítica, pero tú sabes muy poco de hombres como Petrakis. ¿Cómo crees que ha adquirido su considerable fortuna? No ha sido con un enfoque humanitario a la hora de hacer dinero. Lo que tú puedas decirle, por muy apasionados y elocuentes que sean tus argumentos, a él le resbalarán.

A Natalie le brillaron los ojos con rabia.

–Y así es como el mundo de los negocios mide el éxito hoy en día, ¿verdad? ¿Solo se considera triunfador al que es despiadado con sus tratos y le importa un bledo el daño psicológico que pueda causar a un compañero empresario que ha tenido mala suerte siempre que pueda conseguir lo que quiere?

Respiró con fuerza y se dio cuenta de que despreciaba a ese multimillonario griego al que todavía no había visto. Pero también tenía algo más en la cabeza. Si aquella reunión con Petrakis era demasiado dura para su padre, y desde luego lo era, ella no podría abandonarlo más tarde para ir a cenar con el enigmático Ludo, aunque había pensado mucho en él desde el día anterior.

–Parece ser que es así. Pero no te alteres por mi causa, querida. Te pedí que me acompañaras como apoyo moral, pero esta batalla no es tuya, es mía. Y ahora creo que debemos ir a prepararnos –dijo su padre.

Se encogió de hombros con resignación y dio media vuelta. Echó a andar hacia su dormitorio arrastrando los pies, como si transportara el peso del mundo sobre sus hombros.

–Ludovic, ¿cómo estás? El tráfico es terrible hoy. Todo se mueve a paso de caracol.

Ludo miraba por la ventana de su elegante despacho de Westminster, sin ver apenas nada de lo que pasaba en la calle porque su mente estaba fija en un único pensamiento. Que esa noche cenaría con la exquisita Natalie. Cerró los ojos. Se imaginó por unos segundos atrapado en el lago de cristal claro de su mirada y fue capaz de conjurar el fascinante olor de su perfume tan fácilmente como si ella estuviera allí a su lado. No recordaba cuándo había sido la última vez que había sentido tanta ansiedad en la boca del estómago ante la perspectiva de volver a ver a una mujer... ni si le había ocurrido alguna vez. Por eso, cuando oyó inesperadamente a sus espaldas la voz de su abogado Stephen Godrich, estaba tan enfrascado en soñar despierto que casi dio un salto.

Se volvió con una sonrisa y procuró concentrarse inmediatamente en el trabajo. Ya habría tiempo para fantasear con la adorable Natalie más tarde, después de que cenaran juntos.

Se acercó a estrecharle la mano al otro y notó que los botones de la chaqueta de este tenían tantas posibilidades de poder cerrarse sobre su abultado estómago como Ludo de ganar la final del torneo de Wimbledon... algo que resultaba claramente imposible porque el deporte que practicaba Ludo era el polo, no el tenis.

–Hola, Stephen. Te veo bien. De hecho, te veo tan bien, que creo que te pago demasiado –bromeó.

Los ojos azules del otro se mostraron alarmados un momento. Se recuperó rápidamente, sacó un gran pañuelo blanco del bolsillo del pantalón y se secó el sudor de la frente.

–Ser un gran amante de la buena comida tiene un precio, amigo mío –señaló sonriente–. Sé que debería ser más disciplinado, pero todos tenemos nuestros pecadillos, ¿no? Y ¿puedo preguntar si tu cliente ha llegado ya?

Ludo miró el Rolex de platino que adornaba su muñeca bronceada y frunció el ceño.

–Me temo que no. Parece que llegará con retraso. Pediré a Jane que nos haga café mientras esperamos.

–Una idea espléndida. Y alguna galleta interesante tampoco estaría mal. Si tienes –añadió el abogado.

Ludo asintió, ya en la puerta. Pensó que, si Stephen recortara su ingestión de azúcar, sus trajes hechos a mano le sentarían mucho mejor.

Ludo y su fiel representante, Amelia Redmond, que había sido la que había pujado en su nombre por la antes prestigiosa cadena de hoteles, estaban sentados en la mesa de conferencias con Stephen Godrich y Nick, el afable y muy profesional secretario de Ludo. Este, un hombre joven, releía unos documentos que tenía delante y fruncía el ceño concentrado. Ludo no sabía por qué se le ocurrió en ese momento que la familia de Nick procedía de Creta. Quizá porque había vuelto a pensar en Natalie.

Impaciente de pronto por acabar con aquella reunión, aunque la compra de aquel negocio en particular era un buen golpe para él, tuvo el fuerte impulso de restarle tiempo al trabajo para ir a nadar a su club privado. Recordó, no por primera vez, una pregunta que le había hecho Natalie en el tren. «¿Tienes que estar tan ocupado todo el tiempo?».

Frunció el ceño. Su familia lo había criado con una gran ética del esfuerzo y él había recogido la recompensa de su tenacidad y de su trabajo duro. Sin embargo, por sus venas corría todavía una sensación perversa de no ser lo bastante merecedor de todo aquello y eso le impedía disfrutar plenamente de dichas recompensas. En algún momento del camino había olvidado que un cuerpo necesitaba descansar y relajarse de vez en cuando para recargar las pilas. Dios sabía que podía fácilmente tomarse un año libre si quería. Pero ¿para hacer qué? Y lo más importante, ¿con quién?

Enderezó los gemelos de su camisa azul cobalto y alzó la vista, intuyendo la llegada de Jane, su diminuta secretaria de mediana edad, un momento antes de que ella apareciera en el umbral.

–Ha llegado el señor Carr con su hija y su abogado, el señor Nichols –anunció con gravedad–. ¿Los hago pasar?

–Por favor, sí. ¿Les has preguntado qué quieren tomar?

–Sí.

Ludo se preguntó un momento por qué había llevado Bill Carr a su hija a la reunión. Ni Nick ni la eficiente Amelia Redmond le habían dicho que ella tuviera participaciones en el negocio y lo último que deseaba ese día eran complicaciones imprevistas que pusieran en peligro el trato. La expresión de Nick le indicó que él estaba también sorprendido por la presencia de la hija. Jane abrió la puerta para que entrara el trío y Ludo fue el primero en ponerse en pie para recibirlos.

Cuando vio que la chica que entraba con los dos hombres era Natalie, creyó que el corazón se le iba a salir del pecho.

La miró fijamente. ¿Natalie era la hija de Bill Carr, el dueño de la cadena de hoteles? ¿El destino le gastaba una broma pesada? La mirada de ojos plateados que se encontró con la suya mostraba la misma sorpresa que lo tenía hipnotizado a él, y Ludo no pudo evitar murmurar su nombre. Le habría sido imposible negar la violenta atracción que recorrió su cuerpo al volver a verla.

Los vaqueros desgastados que cubrían sus piernas y el blusón de satén color cereza que llevaba contrastaban fuertemente con los atuendos formales del resto de los presentes, pero Ludo los encontró encantadores y refrescantes. Sin embargo, aunque le gustaba verla, sabía que aquella era una de las peores situaciones que podía haber deseado. Percibía que ella estaba ya en guardia, aunque no hubo por su parte ni un parpadeo que traicionara que ya lo había visto antes. Obviamente, para ella sería difícil confiar en él después de haberse dado cuenta de que era el hombre que se disponía a comprar el negocio de su padre... y no al mejor precio posible. Ella ya debía de saber que su padre vendía con pérdidas importantes.

Ojeó deliberadamente a los dos hombres, en un esfuerzo por ganar tiempo y pensar lo que iba a hacer.

–¿Cuál de ustedes es Bill Carr? –preguntó.

No pudo evitar que su tono sonara nervioso. La inesperada aparición de Natalie, unida al hecho de que su padre resultara ser el hombre de negocios cuya cadena se disponía a comprar, lo habían alterado bastante. Mientras luchaba por recuperar su equilibrio, el hombre delgado, vestido con un traje gris tradicional, se adelantó a estrecharle la mano.

–Soy yo. Estos son mi abogado, Edward Nichols, y mi hija Natalie.

Ella no se acercó a estrecharle la mano. En vez de eso, le lanzó una advertencia con los ojos, como para indicarle que, dadas las circunstancias, no sería inteligente que demostrara que se conocían. Él estaba plenamente de acuerdo.

–¿Presumo que usted es el señor Petrakis? –preguntó Bill Carr.

–Así es. ¿Por qué no nos sentamos? Tengo entendido que mi secretaria traerá algo de beber, pero, entretanto, permítanme presentarles a mis colegas.

Cuando terminaron las presentaciones, tomó el vaso de agua que tenía ante él y bebió un trago. Tenía que conseguir recuperar la compostura y no dejar que nadie más notara que la presencia de Natalie casi lo había dejado sin habla. Después de que entrara Jane con café y galletas, y volviera a salir, Ludo le dejó las formalidades a Amelia y a Nick. Mientras ellos describían la oferta que había propuesto, Bill Carr y su abogado escuchaban con atención, hacían preguntas de vez en cuando y tomaban notas.

Debido a la sensación de culpabilidad que lo invadía porque iba a comprar el negocio de su padre, Ludo sentía cosquillas incómodas en la nuca cada vez que su mirada se tropezaba con la de Natalie.

Intentó recordar todo lo que le había dicho ella de su padre el día anterior en el tren. «Puede ser bastante impredecible y no siempre es fácil comprenderlo». Ludo se preguntó si eso tenía algo que ver con el modo en que gastaba su dinero. Su ayudante, Nick, había descubierto que el hombre tenía fama de ser temerario con su dinero. Se decía que mantenía varios hábitos costosos, no todos ellos sanos. Sin duda por eso se encontraba en la dolorosa posición en la que estaba en ese momento, la de tener que vender su negocio por menos de la mitad de su valor para pagar las deudas que había contraído por sus hábitos caros.

Los dos ayudantes de Ludo concluyeron la presentación del trato. A continuación, su abogado confirmó las condiciones de la suma que se ofrecía para asegurarse de que Bill Carr entendía todos los aspectos del negocio. Lo único que quedaba ya era firmar y transferir el dinero a su cuenta bancaria.

Cuando Stephen Godrich, el abogado de Ludo, pasó los documentos a través de la mesa para su firma, Natalie los detuvo a todos con una pregunta sorprendente.

–Señor Petrakis, ¿cree que la cantidad que ofrece a mi padre por su negocio es justa?

–¿Justa? –Ludo frunció el ceño. Miró el rostro sonrojado de ella.

–Sí, justa. Usted debe saber que compra una de las cadenas de hoteles más innovadoras del Reino Unido por calderilla. Tengo entendido que es un hombre muy rico. Seguramente puede permitirse pagarle una cantidad menos insultante al hombre cuyo ingenio y trabajo duro creó este negocio, para que pueda invertir en otra empresa y ganarse la vida.

Cuando Natalie terminó su discurso, fue como si hubiera explotado una bomba. Y nadie movió un músculo por miedo a detonar otra. Todos estaban atónitos.

A juzgar por su rostro sonrojado y sus ojos brillantes, ella también. En cuanto a él, por un momento Ludo no supo qué contestar. Lueg o, afortunadamente, intervino su rapidez de reflejos, acompañada de una furia genuina.

Se inclinó hacia delante y cruzó las manos sobre la mesa.

–Usted considera que lo que le pago a su padre por su negocio es insultante, ¿no es así?

–Sí.

–¿Le ha preguntado cuántas personas más le han hecho ofertas por él? ¿Por qué no se lo pregunta ahora? Adelante, hágalo.

Bill Carr puso una mano larga y huesuda encima de la de su hija.

–Sé que tu intención es buena, querida, pero la verdad es que no hay nadie más interesado en comprar la cadena de hoteles. Sin duda, él es tan realista como yo sobre este negocio. El mercado actual no es bueno y estoy agradecido porque alguien me haya hecho una oferta. La cadena ya no tiene el éxito de antes. El que la compre tendrá que invertir una cantidad importante para ponerla al día y sacar beneficios. Creo que ese es el punto que tú no comprendes.

Natalie se mordió el labio inferior y lo miró con tristeza.

–Pero todo esto ha afectado mucho a tu salud, papá. ¿De qué vas a vivir si no puedes montar otro negocio? Esa es la única razón de que quiera más dinero para ti.

Ludo captó el cariño y la preocupación de su voz y no pudo evitar admirarla, a pesar de que la increíble acusación de ella lo había avergonzado. No era difícil ver que Natalie Carr era una mujer buena y cariñosa que adoraba a su padre y le perdonaba las malas decisiones o errores que cometía, aunque esas malas decisiones y errores la perjudicaran a ella. En conjunto, eso volvía más atractiva la idea de una relación con ella, y Ludo no estaba en contra de utilizar todos los medios a su alcance para persuadirla de que aquello era una buena idea. Pero antes tenía que cerrar aquel negocio.

–Por trágica que sea su historia, señor Carr, ahora tengo que preguntarle si desea cerrar el trato y recibir el dinero en su cuenta hoy o si, después de oír la admirable preocupación de su encantadora hija por su bienestar, ha cambiado de idea.

Cuando terminó de hablar, miró a Natalie y enarcó una ceja, como para demostrarle que no se había hecho rico siendo blando de corazón y dejándose enternecer por todas las historias lacrimógenas que se cruzaban en su camino. Por mucho que deseara acostarse con ella, no renunciaría a los principios que le habían hecho rico. No lo haría por nadie.

Capítulo 4

EL CONTRATO de compraventa se había firmado y, aunque Natalie rehusaba encontrarse con la mirada enigmática de Ludo cuando su padre y el abogado salían del despacho, no pudo evitar lamentar que la tan deseada cena de esa noche con él no se fuera a producir después de todo.

¿Cómo iba a cenar con él después de que hubiera rehusado con tanta frialdad la sentida súplica de ella para que ayudara a su padre aumentando la oferta por los hoteles? Era evidente que para él resultaba más importante hacer dinero que ayudar a sus semejantes. Apartó deliberadamente la vista cuando pasó a su lado. Pero el corazón le latió con fuerza en el pecho cuando llegó hasta ella el calor del cuerpo de él, mezclado con el olor de su loción de afeitado.

–¿Natalie?

Para su sorpresa, él la sujetó por la muñeca.

–¿Podemos hablar un momento?

Antes de que ella pudiera notar algo que no fuera la mano de él en su muñeca y el brillo azul cobalto de sus ojos, él apartó la mano y se volvió para dirigirse a sus colegas.

–Necesito un momento a solas con la señorita Carr.

Hablaba con voz de mando y ellos se levantaron al instante y salieron también del despacho.

Bill Carr, sin embargo, regresó y se plantó en el umbral.

–¿Puedo preguntar por qué quiere hablar a solas con mi hija? Si le ha molestado que hablara así para ayudarme, no se lo tome de manera personal. Estoy seguro de que no pretendía ofenderlo, señor Petrakis.

A Natalie le costó mucho reprimir su rabia porque su padre se mostrara tan sumiso. Casi parecía servil. Y una cosa era cierta... ella no lo seguiría en eso.

–No se preocupe, señor Carr. Aunque el estallido de su hija no venía a cuento, no me lo he tomado de manera personal. Simplemente quiero charlar un momento con ella en privado. Si ella no se opone.

Natalie empezaba a sentirse como un objeto traído y llevado de un lado a otro. Se cruzó de brazos y lo miró a los ojos, sin ceder al impulso de demostrar su irritación, y luego apartó deliberadamente la vista.

–Lo que quiera decirme, señor Petrakis, será mejor que sea rápido. Quiero llegar al banco antes de que cierre.

–¿Para comprobar que el dinero de su padre está ya en su cuenta? –preguntó Ludo con frialdad.

A Natalie le costó reprimir el impulso de darle una bofetada.

–El dinero de mi padre no tiene nada que ver conmigo. Lo crea o no, tengo cuenta bancaria propia.

Él sonrió.

–Me alegra oírlo. ¿Por qué no entra y se sienta un momento para que podamos hablar?

Natalie sonrió a su padre.

–Estoy segura de que no tardaré mucho. ¿Te importa esperarme fuera?

–Te espero en la cafetería de enfrente. Adiós, señor Petrakis.

–Ha sido un placer hacer negocios con usted, señor Carr.

En cuanto su padre cerró la puerta tras de sí, Natalie no pudo reprimir por más tiempo su irritación.

–¿Qué tienes que decirme después de lo que acabas de hacer? Sea lo que sea, no sé si quiero oírlo. A menos que quieras que traslade a mi padre tus disculpas por ser un mercenario tan despiadado, prefiero no perder más tiempo hoy esperando que un hombre que es sordo y ciego a las súplicas de comprensión cambie de idea y se vuelva más compasivo. Creo que prefiero considerar todo esto como una amarga experiencia y seguir mi camino.

La expresión de Ludo se volvió fría como el hielo.

–Lo que ha pasado entre tu padre y yo ha sido una transacción de negocios, pura y simplemente. Si no puedes ver eso, eres más ingenua de lo que pensaba. Está claro que no entiendes nada de asuntos de compraventa, por no hablar de los efectos de las fuerzas de mercado actuales. Tu padre quizá no sea el hombre de negocios de más éxito del mundo, pero al menos es pragmático y entiende estas cosas.

Estoy seguro de que sabe lo afortunado que es de que yo le haya hecho una oferta por su negocio. No se puede decir que tuviera muchas; al menos ahora podrá pagar sus deudas.

Natalie estaba escandalizada.

–¿Cómo sabes tú lo de sus deudas?

–Tengo por costumbre investigar a todos los que esperan venderme algo –Ludo suspiró y se pasó la mano por la barbilla–. Lamento sinceramente que tu padre se haya metido en este desastre económico, pero eso no significa que yo tenga que ser responsable de ayudarle a salir de él. Yo también tengo que pensar en mis intereses.

–Estoy segura de que lo haces.

Aunque la respuesta de él la había irritado, Natalie tenía que admitir que no tenía derecho a criticarlo cuando su padre se había metido solo en aquella situación. Ludo tenía razón. Él no era responsable de la incapacidad de su padre para conservar su negocio porque se había vuelto cada vez más propenso a adquirir malos hábitos.

Respiró hondo para tranquilizarse. Aunque intentaba ser justa, seguía resultándole difícil entender por qué un hombre de negocios tan rico como Ludo no podía mostrar más comprensión y bondad por un compañero empresario en apuros. ¿No hablaban últimamente los periódicos de la necesidad de que los negocios fueran más éticos y dejaran de guiarse solamente por los beneficios?

–¿Eso era todo lo que querías decirme? –preguntó.

Ludo le dedicó una sonrisa seductora. Natalie se estremeció y sus pezones se endurecieron dentro del sujetador como si él le hubiera pasado los dedos por ellos.

–No –repuso él–. ¿Has olvidado que habías quedado para cenar conmigo esta noche?

–No, no lo he olvidado. Pero eso fue antes de que supiera que eras el hombre que compraba los hoteles de mi padre.

–¿Qué tiene que ver eso con que cenemos juntos?

Natalie abrió mucho los ojos, sorprendida de que tuviera que preguntarlo.

–¿Cómo crees que se sentiría mi padre si descubriera que he salido a cenar contigo? Se sentiría traicionado. Ya ha pasado bastante para que yo aumente sus problemas.

–Me parece que tú no crees que debas pensar en tus propias necesidades. Me pregunto a qué se debe eso.

–¿De qué necesidades hablas?

Natalie se ruborizó porque, aunque hizo la pregunta, sabía perfectamente lo que él quería decir. Era innegable que Ludo Petrakis la excitaba más que ningún otro hombre por el que se hubiera sentido atraída antes. Y lo que la dejaba sin aliento era que, a juzgar por la mirada seductora de sus ojos, él parecía sentir lo mismo. Pero eso no volvía la situación menos incómoda.

Sí, su padre había cometido algunos errores estúpidos con su negocio y lo había perdido, pero Natalie no quería que pareciera que lo castigaba deliberadamente saliendo con Ludo. Tenía que encontrar fuerzas para alejarse de él por mucho que sus sentidos gritaran que quería volver a verlo.

–Las únicas necesidades que tengo en este momento son que mi padre se recupere de este contratiempo y recupere la salud para que tenga energía y voluntad de volver a montar algo. Por cierto, aunque supongo que no te importa, ¿tus investigaciones te han dicho que, además de su negocio, va a perder también su casa? Y la razón de que yo tenga que ir al banco no es para comprobar si ha llegado tu dinero, sino para sacar dinero y pagarte el billete del tren.

–Olvídate de eso. No es importante. Por lo que a mí respecta, no me debes nada. En vez de pagarme el billete, preferiría que cenaras conmigo esta noche y empezáramos a conocernos un poco mejor.

Aunque le resultaba halagador que Ludo se mostrara tan insistente, Natalie no pudo evitar fruncir el ceño.

–¿No has oído lo que he dicho? Lo siento, pero no puedo arriesgarme a ofender a mi padre saliendo contigo. Tú puede que asumas que se lo ha tomado bastante bien dadas las circunstancias, pero no lo ha asimilado en absoluto –ella se alisó el blusón con la mano–. Oye, de verdad tengo que irme, pero antes hay algo más que quiero preguntarte. ¿Por qué no me dijiste que eras griego en el tren, sobre todo después de que yo te dijera que mi madre era de Creta?

Ludo se enfrentaba mentalmente a un muro conocido que seguía renuente a escalar. Estaba orgulloso de sus orígenes, pero hacía tres años que no visitaba su país... tres años desde que su querido hermano Theo muriera en un accidente de barco cerca de la costa de la isla privada propiedad de Ludo. Había sido el periodo más duro de su vida y la tragedia lo había sumido en un pozo de desesperación del que había temido no poder salir nunca.

En lugar de quedarse en casa a llorar con su familia, se había marchado poco después del funeral con la esperanza de encontrar alivio a su dolor incrementando sus intereses internacionales, viajando por todo el globo excepto por su adorada Grecia. Sus padres no podían comprender por qué no iba a casa. Siempre que hablaba con su madre por teléfono, ella le suplicaba que regresara. Pero Ludo pensaba que la había decepcionado en dos temas imperdonables y por eso no volvía. No solo había sido incapaz de darle nietos, sino que además su hermano había muerto cuando estaba de vacaciones en la hermosa isla paradisiaca que había comprado Ludo como recompensa por haber conseguido el éxito que tanto había soñado de niño y, en el fondo, para que sus padres vieran que era tan triunfador como Theo. Y ahora ya nunca verían eso.

Apartó un momento la vista de los hermosos ojos grises que lo observaban con atención y se esforzó por hablar con normalidad.

–En ese momento estaba más interesado en averiguar cosas de ti, Natalie. ¿No suelen quejarse las mujeres de que los hombres hablan demasiado de sí mismos?

–No sé. Simplemente pensaba que te habría gustado decirme de dónde procedías.

–¿Y eso por qué? ¿Para que hubiéramos podido intercambiar anécdotas de nuestro origen común?

Ludo captó irritación en su voz, irritación que se debía a que se había arrinconado solo. No había hablado con nadie de su país de nacimiento ni de lo que había ocurrido para alejarlo de él. Pero si quería avanzar con Natalie, seguramente tendría que hablar de ello, le gustara o no.

–A veces un hombre en mi posición ansía el anonimato –continuó–. Además, ¿crees que nuestro único punto en común es que los dos somos hijos de griegos?

Natalie frunció el ceño.

–No sé. Cuando te he visto hoy, me he quedado sin palabras. Ha sido una gran sorpresa. Pero ayer me ayudaste pagándome el billete y para mí es importante devolvértelo.

–En ese caso, quizá quieras que nos veamos esta noche después de todo –intervino él.

–No puedo.

–Di mejor que no quieres.

–No puedo. ¿Por qué no escuchas lo que digo?

Ludo se puso las yemas de los dedos en las sienes y movió la cabeza.

–Te escucho, Natalie, pero quizá no te doy la respuesta que buscas porque tú no me das la que yo quiero.

Los ojos de ella brillaron con irritación.

–Y tú siempre consigues lo que quieres, ¿no?

Suspiró con exasperación y avanzó hacia la puerta. A Ludo le dio un vuelco el corazón al comprender que podía perder la oportunidad de volver a verla a menos que actuara enseguida. Pensó con rapidez. Una idea pasó por su cabeza y se aferró a ella como si pudiera desvanecerse a menos que la dijera en voz alta. La idea era quizá un poco absurda, pero tenía cierto sentido. Decidió lanzarse.

–Quizá no tengas tanta prisa por marcharte si te digo que tengo en mente un trato del que me gustaría hablarte. Algo que puede beneficiaros a tu padre y a ti –anunció con calma.

Natalie apartó la mano del picaporte y se giró hacia él.

–¿Qué clase de trato?

Ludo tardó un momento en contestar. Acababa de ocurrírsele que lo que estaba a punto de proponer también lo beneficiaría a él. La idea ya no le resultaba tan absurda. De hecho, podía ser la solución que él anhelaba en secreto... una salida que quizá le llevaría por fin algo de paz.

Miró a Natalie a los ojos.

–El trato que te ofrezco es que aumentaré en un cincuenta por ciento lo que le he pagado a tu padre si accedes a acompañarme a Grecia y a hacerte pasar por mi prometida.

Natalie se quedó inmóvil como una estatua; su expresión atónita sugería que no estaba segura de haber oído bien. Y sus palabras lo confirmaron.

–¿Te importa repetir lo que acabas de decir? Me temo que he debido imaginarlo.

–No lo has imaginado –él repitió la proposición.

–¿De verdad aumentarás el dinero que has pagado por el negocio si viajo a Grecia contigo y finjo ser tu prometida? ¿Por qué quieres que haga una cosa tan rara?

Ludo se encogió de hombros con un suspiro.

–Quizá no te parezca tan rara cuando te cuente mis razones.

–Adelante.

–Mis padres, sobre todo mi madre, llevan mucho tiempo esperando que lleve a casa a una novia. Alguien que les dé esperanzas de que puedan tener nietos algún día. Desgraciadamente, no he tenido relaciones largas en mucho tiempo y, francamente, están empezando a pensar que nunca las tendré. La situación se complicó con la muerte de mi único hermano hace tres años en un accidente de barco. Ahora soy su único hijo y heredero. Desgraciadamente, no he ido a casa desde el funeral. No quería volver hasta que pudiera darles esperanzas de que el futuro era más brillante de lo que ellos esperaban. Sé que estaremos fingiendo, pero la intención es buena. Te prometo que, si consigues interpretar de un modo convincente el papel de mi prometida mientras estemos en Grecia, te recompensaré muy bien cuando volvamos a Inglaterra.

–Pero, aunque yo acepte, ¿no sufrirán más tus padres cuando se enteren de que era todo mentira? Ya deben de tener el corazón roto por el hijo que perdieron. Nada de lo que puedas hacer por mí o puedas darme me compensaría por lo mal que me sentiría por engañarlos.

–El hecho de que te importe tanto esa parte del trato me convence de que eres la mujer indicada para pedirte ese favor. Estaré siempre en deuda contigo si haces eso por mí.

Ella se quedó pensativa un momento.

–¿Y cómo le explico a mi padre que me voy a Grecia contigo? ¿Y cuánto tiempo nos iríamos?

–De tres a cuatro semanas por lo menos. Y puedes decirle a tu padre que te he ofrecido la oportunidad de aprender negocios con un experto –comentó con una sonrisa–. Estoy seguro de que entenderá los beneficios de una oportunidad así. Si aceptas, y aprendes lo que yo considero que es lo más esencial para triunfar en los negocios, tu padre no tendrá que preocuparse de tu futuro económico porque sabrás cómo asegurártelo.

Natalie se acercó a un sillón de color burdeos y se sentó lentamente en él. Cuando alzó la vista para mirarlo a los ojos, Ludo sintió un momento de alivio y triunfo porque adivinó que ella estaba considerando seriamente la oferta.

Capítulo 5

ESTABA loca al considerar la increíble oferta de Ludo de que lo acompañara a Grecia y asumiera la identidad de su prometida? Así cumpliría su deseo de volver a Grecia, pero el aspecto más importante del trato que proponía él era su promesa de aumentar lo que había pagado a su padre por el negocio.

Un cincuenta por ciento más permitiría a su padre conservar el piso y no tener que venderlo. Y el hecho de poder conservar su casa lo ayudaría mucho a empezar de nuevo. No solo eso, quizá también mejoraría mucho su salud. El trato que proponía Ludo era demasiado importante para ignorarlo. ¿Qué haría si no lo aceptaba y la salud y la autoestima de su padre se hundían todavía más porque perdía toda esperanza de poder hacer algo para mejorar?

Miró al hombre atractivo que la observaba en silencio y sintió un nudo en el estómago. ¿Podía contemplar en serio interpretar el papel de su prometida? ¿Sería lo bastante fuerte para hacerlo sin mezclar en ello sus sentimientos? Estar a su lado en Grecia y hacerse pasar por su prometida seguramente implicaría tomarse de la mano, besarse y tocarse, quizá íntimamente.

No permitió que sus pensamientos fueran más allá porque ya le habían provocado una poderosa ola de calor que hacía que su cuerpo pareciera a punto de estallar en llamas. Se alzó la gruesa coleta de pelo largo del cuello en un esfuerzo por refrescarse un poco y notó que la expresión de Ludo, que antes imprimía seguridad, había cambiado. Ahora su mirada era más contemplativa, como si no estuviera seguro de que la respuesta de ella sería la que esperaba. Si eso era así, Natalie se preguntó cómo un hombre tan triunfador y atractivo podía verse atormentado por las dudas. No tenía sentido.

–¿Y bien?

La miraba ahora con más intensidad y ella tuvo la impresión de que empezaba a perder la paciencia.

–¿Me vas a dar una respuesta? ¿Va a ser sí o no?

Natalie respiró hondo y se puso en pie.

–Haces que parezca muy sencillo... solo hay que decir sí o no.

–¿Quieres decir que es más complicado?

–Ninguna situación será sencilla nunca donde hay sentimientos en juego.

–¿Por qué tiene que haber sentimientos en juego? –Ludo frunció el ceño y se metió la mano en el bolsillo del pantalón–. ¿Te preocupa tu padre y su reacción cuando se entere de que te vas a Grecia conmigo? No creo que sea un problema, teniendo en cuenta que he ofrecido aumentar la cantidad que le he pagado.

El corazón de ella se aceleró. Notó que se ruborizaba.

–En realidad, no es mi padre lo que me preocupa. No tengo dudas de que estará encantado con tu nueva oferta por su negocio y, en cuanto a lo de ir a Grecia contigo, aceptará si sabe que yo también lo quiero. Estaba pensando cómo, si voy contigo, voy a poder pasar por tu prometida cuando apenas te conozco. ¿Y no se supone que los prometidos deben comportarse como si estuvieran locos el uno por el otro?

La sonrisa divertida de Ludo resaltó sus dientes blancos y su piel bronceada.

–¿Crees que te resultará difícil fingir que estás loca por mí? Casi todas las mujeres que conozco me dicen que soy un buen partido. Algunas incluso me consideran irresistible. ¿Quieres que probemos esa teoría?

Se acercó a ella y la abrazó por la cintura. La levantó del sillón, la estrechó contra su cuerpo y Natalie, al sentirlo tan cerca, sintió que se le doblaban las rodillas. Soltó un respingo atónito justo antes de que él la besara en la boca. Cuando sus labios se encontraron, ella abrió la boca y él le introdujo la lengua para hacer el beso todavía más íntimo.

Ella dejó de pensar y su mente solo fue capaz de registrar el fiero placer adictivo del sabor de él y la marca caliente de su piel en la de ella. Fue como si una antorcha prendiera una llama inolvidable en su sangre con la que ningún otro hombre podría competir jamás. «Está bien», pensó. «Lo haré, no puede ser tan difícil».

Disfrutó tanto del beso que se llevó una decepción cuando Ludo apartó los labios. La miró, le quitó las manos de la cintura y las posó en sus caderas. De cerca, sus increíbles ojos color zafiro eran de un azul único, como el Mediterráneo iluminado por el sol de media tarde.

–Umm –él sonrió–. Eso ha estado bien.

Natalie confió en que él no quisiera una valoración más detallada sobre lo que ella sentía acerca del beso. O quizá tendría que decirle que le gustaría probar otro solo para asegurarse de que no había imaginado el increíble placer que le había proporcionado.

–¿Debo pensar que la idea de hacerte pasar por mi prometida no te resulta tan repulsiva como pensabas al principio? –bromeó él.

Natalie no pudo hacer otra cosa que mostrarse sincera.

–Estoy segura de que sabes que no tienes nada de repulsivo. Pero no me resulta fácil fingir que soy lo que no soy. No me gusta nada engañar a nadie aunque sea por una buena causa. Y menos a tus padres.

Ludo le apartó un mechón de pelo de la cara y le acarició la mejilla con gentileza.

–Precisamente porque eres una persona tan considerada, sé que no tendrán problemas en aceptarte como mi prometida.

–Ser una amiga sería otra cosa... eso podría aceptarlo. Pero presentarme como tu prometida es mucho más serio, ¿no te parece?

Ludo le quitó la mano de la mejilla y suspiró pesadamente con cierta exasperación.

–Considéralo como un juego inofensivo. Créeme cuando te digo que no harás daño a nadie. Y, además, conseguirás lo que quieres para tu padre, no lo olvides. Eso y la oportunidad de visitar el país de tu madre, lo cual dijiste que te encantaría volver a hacer.

Natalie se apartó de él para poder pensar con claridad. Sabía que tenía que tomar una decisión. Pidió en su interior que fuera la correcta.

–Está bien. Haré lo que me pides e iré a Grecia contigo. Pero, si una vez allí me resulta difícil mantener la farsa de que soy tu prometida, ¿estás de acuerdo en que puedo volver a casa sin que me pongas trabas?

Ludo asintió de mala gana.

–No me alegrará, pero estoy de acuerdo, siempre que tú recuerdes que le pago mucho dinero a tu padre por su negocio y que lo mínimo que me debes es quedarte conmigo hasta que te diga que estoy satisfecho.

–¿Satisfecho? –preguntó ella.

–Sí, satisfecho de que has interpretado el papel de mi prometida lo mejor que has podido y con el máximo convencimiento posible.

–No soy actriz. Pero lo haré lo mejor que pueda. De acuerdo, entonces –apartó la vista para intentar recuperar su equilibrio porque el corazón le latía con fuerza–. Dime cuándo quieres viajar.

–Por lo que a mí respecta, cuanto antes mejor. ¿Podrías estar lista en una semana?

–Tengo que buscarle ayuda a mi madre en el *bed and breakfast*. Espero que una semana sea suficiente para organizarlo todo.

–Tú me dijiste que eres una buena organizadora. Estoy seguro de que una semana será tiempo de sobra. Debes estar lista para partir el próximo lunes en un vuelo por la mañana temprano. Como partiremos de Heathrow, creo que deberías quedarte con tu padre la noche anterior.

–Estoy segura de que eso no será un problema.

–Seguro que no –Ludo sonrió–. Y menos cuando él sepa que no soy tan despiadado como los dos sospechabais.

–Yo no pretendía insultarte deliberadamente con lo que dije. Estaba molesta, como lo estaría cualquier hija, por la posibilidad de que mi padre se quedara en la calle después de pagar todas sus deudas. Me parecía injusto que, después de verse obligado a vender un negocio al que ha dedicado tantos años de trabajo duro, no le quedara nada.

Aunque se sentía plenamente justificada, también le avergonzaba recordar su estallido en la reunión.

Se ruborizó. Miró su reloj.

–Tengo que irme ahora, pero hay algo más que debo decir –se mordió el labio inferior con nerviosismo–. Siento mucho lo de tu hermano. Una pérdida tan terrible debió de ser devastadora para tu familia y para ti. Lo siento mucho por todos vosotros.

Una sombra cruzó los ojos azules de Ludo, oscureciéndolos momentáneamente.

–«Devastador» es decir poco –murmuró; se pasó los dedos por el pelo–. Pero agradezco tu comprensión.

–Bien, creo que es hora de que me vaya. ¿Me llamarás cuando tengas la hora del vuelo?

–Puedes contar con ello –Ludo avanzó con ella hacia la puerta y le tocó levemente el brazo–. Pero no te llamaré solo entonces. Te llamaré también durante la semana, preferiblemente por las tardes después de trabajar. Creo que es importante que nos conozcamos un poco antes del viaje, ¿no te parece?

–Hablar por teléfono no es el mejor modo de conocerse, pero supongo que tendrá que servir si no podemos vernos.

–Aunque me gustaría mucho, me resulta imposible disponer de tiempo esta semana. Por ahora tendrán que bastarnos las llamadas.

Natalie lo miró a los ojos. Se encogió de hombros y asintió, aunque en realidad se sentía decepcionada. Para ella era un misterio cómo conseguía afectarla Ludo de aquel modo. Nunca había conocido una conexión tan tangible con un hombre y aquello alteraba todas sus creencias sobre sí misma.

–De acuerdo. Esperaré tus llamadas –murmuró.

–Bien. Por cierto, cuando lleguemos a Rodas, hará calor. Llévate ropa adecuada y crema para el sol –sugirió él.

La sonrisa que acompañó sus palabras era mucho más cálida de lo que ella esperaba después de la pena que acaba de expresar por la pérdida de su hermano, y Natalie albergó la secreta esperanza de que él hablara más de su hermano durante su tiempo juntos en Grecia. ¡Había tantas cosas de aquel hombre complejo y sorprendente que quería descubrir!

–Lo haré –dijo.

Y de pronto se sintió tímida, giró el picaporte y salió a la zona de recepción, donde se encontró con las miradas de curiosidad de los colegas de Ludo.

Después de darle a su padre la buena noticia de que Ludo había aumentado la suma que había pagado por el negocio y de ver que él estaba mucho más optimista sobre su futuro gracias a eso, Natalie regresó a Hampshire con nerviosismo, esperanza y muchas dudas.

En primer lugar, le costaba creer que hubiese accedido a ir a Grecia con Ludo una semana después e intentar convencer a sus padres de que estaban prometidos. ¿Y ellos no verían al instante que ella era una chica corriente, la mujer menos probable que habría elegido él como prometida? Para empezar, estaba muy alejada de las mujeres de aspecto perfecto que salían en las revistas con hombres ricos y poderosos como su hijo.

Pero cuando la llamó Ludo a la noche siguiente, el nerviosismo desapareció y fue reemplazado por el optimismo y la esperanza. Solo hizo falta que oyera su voz rica de barítono.

–Soy Ludo –anunció él.

Natalie, que se disponía a tomar un baño, se envolvió en el albornoz, se sentó en la cama y rezó interiormente para que su voz no traicionara el profundo efecto que le producía la llamada. A pesar de haber accedido a ir a Grecia con él, le resultaba surrealista que aquel ejecutivo tan atractivo la llamara personalmente.

–Hola –respondió–. ¿Cómo estás?

–Cansado. Necesito unas vacaciones.

El comentario pilló a Natalie por sorpresa y la llenó de preocupación.

–Pues menos mal que no falta mucho para que te vayas... solo unos días más.

–¿Y tú vendrás conmigo?

–Por supuesto. Yo siempre cumplo mi palabra.

–Me alegro. ¿Tienes papel y boli a mano? Quiero darte los detalles del vuelo.

Natalie anotó lo que le decía.

–¿Es todo? –preguntó cuando hubo terminado.

–No, quiero hablar más contigo. ¿A qué te has dedicado hoy?

Natalie suspiró.

–¿Qué he hecho? Organizar la ayuda para mi madre durante mi ausencia y ocuparme de algunas tareas administrativas aburridas. Pero, por suerte, mi madre ha aliviado el tedio. Justo después de las tres me ha traído bollos de mantequilla hechos por ella y te aseguro que nadie los hace tan bien.

–Tienes una voz muy sexy, Natalie. No creo que sea el único hombre que te lo ha dicho.

La joven negó con la cabeza, como si él pudiera verla. Fue incapaz de contestar.

–¿Natalie? ¿Sigues ahí?

–Sí, sigo aquí. Pero he llenado la bañera justo antes de que llamaras y se estará enfriando. Me temo que tengo que dejarte.

Se levantó y fue hasta la puerta del baño mordiéndose el labio inferior. El comentario sobre su voz sexy la había confundido.

–En ese caso, debes tomar tu baño. Pero quiero que sepas que no creo que pueda dormir esta noche pensando en ti desnuda sumergida en un baño de burbujas perfumadas. Espero que cuando te llame mañana por la noche termines la conversación con un comentario menos provocador. Buenas noches, que duermas bien.

Cuando Natalie consiguió salir del trance en el que había caído, el agua del baño y las burbujas de olor estaban demasiado frías para sumergirse en ellas. Se resignó a cambiar el baño por la ducha, quitó el tapón de la bañera y empezó a pensar de nuevo en Ludo mientras veía salir el agua.

El viaje hasta su país no había sido fácil para Ludo. El torbellino interior de sus pensamientos había hecho que le resultara imposible relajarse.

El avión privado que había alquilado ofrecía el lujo que había aprendido a esperar cuando viajaba. En ese sentido no tenía quejas. La tripulación de cabina había sido muy profesional y atenta y el vuelo había sido agradable, sin turbulencias inesperadas. Pero aunque ver a Natalie en el aeropuerto con un bonito vestido largo de muchos colores y el pelo brillante le había acelerado el pulso, no había conseguido levantarle el espíritu.

Había disfrutado inmensamente de las conversaciones telefónicas con ella, pero cuando ella había intentado iniciar alguna charla en el avión, a él no le había sido fácil responder del mismo modo animoso que sí había podido adoptar por teléfono. De hecho, su humor se había ido deteriorando más y más a medida que se acercaban a su destino.

La conversación telefónica que había tenido con su madre esa mañana había sido una espada de doble filo. Le había alegrado oír su voz y poder darle buenas noticias, pero eso no había aliviado el tremendo peso de culpabilidad y dolor que acarreaba todavía por la muerte de su hermano. Su madre, abrumada por la posibilidad de volver a verlo después de tres largos años, había mostrado una emoción en la voz que había hecho que a él le costara respirar, y más todavía hablar. No había habido palabras de reprimenda que aumentaran aún más la culpabilidad de él, y, por alguna razón, eso hacía que le resultara todavía más difícil ir a ver a su padre y a ella.

Naturalmente, habían querido enviarle un coche que los llevara a la villa, pero Ludo había declinado respetuosamente la oferta. Le había dicho que Natalie y él se quedarían un día en su villa del mar y descansarían antes de ir a verlos. Aunque su ausencia había sido prolongada, necesitaba algo más de tiempo para aclimatarse al hecho de que volvía a estar en casa.

Su madre se había mostrado curiosa con respecto a Natalie.

–¿Cómo es? –había preguntado–. ¿Eres feliz con ella, hijo mío?

Ludo solo le había dicho que Natalie era una «chica encantadora de buen carácter» y que estaba seguro de que les iba a encantar. Había reprimido los remordimientos que le habían asaltado por estar inventando un escenario que no era cierto.

Por alguna extraña e inexplicable razón, empezaba a albergar la esperanza de que saliera algo bueno de su estadía con Natalie a pesar del engaño. No solo había disfrutado de sus conversaciones nocturnas, sino que había empezado a apoyarse en ellas. Natalie se mostraba siempre comprensiva y, aunque él tuviera un mal día, siempre le alegraba la idea de hablar con ella. Nunca antes había conocido una conexión tan fuerte con una mujer. Y el recuerdo del beso ardiente que habían compartido en su despacho una semana atrás le había hecho creer que tenerla consigo en Grecia podía ayudar a aliviar parte del estrés al que estaría sujeto inevitablemente.

Pero también sabía que necesitaría algo más que un beso y una conversación comprensiva para aliviar la pena y la ansiedad que le producía volver a casa.

Finalmente, justo antes de que llegaran a la isla griega a la que se dirigían, Natalie lo había sacado de su ensimismamiento con un comentario inesperado.

–Como sabes, no hago este viaje solo porque me

encante la idea de ir a Grecia o porque necesite unas vacaciones. Lo hago porque me ofreciste un trato que era imposible rehusar. Aunque no voy a decir que me apetezca hacerme pasar por tu prometida, respeto que le hayas pagado a mi padre un precio mucho más realista por su negocio que el que ofreciste al principio. Y, debido a eso, es mi intención cumplir mi parte del trato. Sin embargo, me desconcierta que parezca que no quieres hablar conmigo. Si es porque te arrepientes de haberme traído contigo, quiero que sepas que estoy dispuesta a subir en el primer vuelo que haya a casa.

Fue como si le echara un cubo de agua helada en la cara. En primer lugar, a su ego no le gustó mucho oírle confesar que no estaba deseando hacerse pasar por su prometida y que estaba dispuesta a irse a casa si él había cambiado de idea. Se giró en el asiento y la miró con una punzada de remordimientos.

–Definitivamente, eso no es lo que quiero. Perdóname que no sea un compañero más amable. No se debe a que no quiera estar contigo, es simplemente que me preocupa un dilema privado.

Ella cruzó las manos en el regazo de su vestido y alzó hacia él sus enormes ojos grises.

–¿Ese dilema tiene que ver con regresar a Grecia por primera vez desde que murió tu hermano? No quiero disgustarte pidiéndote que hables de ello, pero ¿no crees que nos ayudaría a los dos que te abrieras un poco? Estoy segura de que a tus padres les resultará raro que yo no sepa cómo era tu hermano ni lo que sentías por él.

Ludo la miró fijamente. Lo que decía era cierto. Por doloroso e incómodo que pudiera resultarle, no tenía más remedio que hablarle de Theo.

Cruzó las manos y el corazón le latió con fuerza cuando intentaba ordenar sus pensamientos.

–Muy bien. Te diré algo de mi hermano Theo. ¿Por dónde empiezo? Era un gigante, nuestro propio coloso de Rodas, no solo de cuerpo, sino también por su carácter y su corazón. Desde que empezó a estudiar medicina, sabía que quería especializarse en cuidar a niños –Ludo se permitió una sonrisa tensa–. Y se hizo pediatra. Los niños lo adoraban. Cuando les decía que los iba a curar, ellos lo creían. Y sus padres también. Y a menudo conseguía cumplir su promesa. Muy pronto empezaron a llamarlo no solo de Grecia sino de toda Europa.

Natalie sonrió alentadora.

–Parece que era un gran hombre. Tus padres y tú debíais estar muy orgullosos de él.

–Todos lo estábamos. Para mí era un privilegio estar emparentado con él.

–¿Estaba casado? ¿Tenía hijos?

–No –Ludo suspiró–. Solía decirnos que estaba casado con su trabajo. No era padre biológicamente, pero hacía de padre de muchos niños cuando estaban bajo su cuidado.

–Me gustaría haberlo conocido.

–Si lo hubieras conocido a él, seguramente no me habrías mirado a mí dos veces –comentó Ludo antes de darse cuenta de lo que decía.

Natalie enarcó las cejas.

–¿Por qué dices eso? Debes saber que tienes muchas cualidades interesantes, y no me refiero a tu riqueza.

–Mi hermano era admirado por su naturaleza bondadosa y su deseo de ayudar a curar a niños enfermos. Comparado con eso, mis logros son mucho menos dignos.

–No puedo creer que hables en serio. No todo el mundo tiene la habilidad de crear riqueza como tú. Riqueza que seguro que ayuda a crear empleos y oportunidades, y estoy segura de que a mucha gente le gustaría poder hacerlo. Seguro que tus padres están tan orgullosos de ti como del hijo que perdieron.

–Mis padres te dirán eso, pero era difícil ser como mi hermano. Era un hijo entre un millón... irreemplazable.

Natalie guardó silencio. La tristeza de sus ojos sorprendió a Ludo, que se arrepintió de haber sido tan sincero. Buscó un tema de conversación que la distrajera.

–¿Cómo se tomaron tus padres la noticia de que ibas a hacer este viaje conmigo? –preguntó.

–Mi padre se preocupó mucho al principio –confesó Natalie–. Cuando le dije que habías aumentado tanto el precio por su negocio, tuvo miedo de que lo hicieras para chantajearme y que fuera tu amante.

Se ruborizó intensamente. Curiosamente, Ludo descubrió que no le ofendía que su padre hubiera pensado que chantajeaba a su hija porque entendía la preocupación natural de Bill Carr. Y le alegraba que Natalie le hubiera dicho aquello, porque así podía decirle lo que pensaba.

–Puedo ser despiadado a la hora de cerrar un negocio, pero no soy un chantajista. Además, ¿tu padre cree de verdad que yo necesitaría recurrir a eso para hacerte mi amante? –le tocó los labios con las yemas de los dedos–. No sería necesario, ¿verdad, Natalie?

Capítulo 6

LOS OJOS de ella brillaron como dos lunas llenas incandescentes.

–Pues claro que no. Soy perfectamente capaz de decidir si quiero o no ser amante de un hombre sin sentirme coaccionada por la promesa de dinero o... o lo que sea.

Frunció el ceño y apretó los labios. Dejó que le cayera el pelo sobre la cara como para esconderla de cualquier escrutinio y Ludo sintió el impulso de apartárselo con los dedos, pero se contuvo.

–Le dije que, a pesar de tu riqueza y tu posición, probablemente eras un hombre decente. Le dije que habías sugerido que, si pasaba tiempo contigo en Grecia, podía aprender habilidades de negocios que me serían útiles en el futuro.

–¿Y no mencionaste que te había pedido que te hicieras pasar por mi prometida?

Natalie volvió a sonrojarse.

–No. Me pareció mejor no mencionar esa parte.

–No sé si tomarme como un cumplido tu declaración de que «probablemente soy un hombre decente». Tal y como lo dices, me deja con la impresión de que quizá lo dudes.

–No.

Llevada por el impulso de convencerlo, Natalie puso automáticamente una mano en la de él. Nunca antes el simple contacto de una mujer había excitado a Ludo hasta el punto de querer sentarla sobre su regazo y hacerle el amor allí mismo, pero eso fue lo que sintió.

–Aunque no hayas querido que te devuelva el dinero –prosiguió ella–, no he olvidado tu generosidad al pagarme el billete del tren. No creo que haya mucha gente que se apresure a ayudar a una desconocida de ese modo, y eso demuestra que eres un hombre decente.

La tensión en los hombros de Ludo empezó a relajarse. Normalmente no le importaba lo que pensara de su carácter una mujer con la que quería acostarse, pero en el caso de Natalie, quería que tuviera buena opinión de él. Las llamadas telefónicas nocturnas que habían compartido habían tenido mucho que ver en su cambio de actitud, especialmente cuando ella se mostraba preocupada por su familia o amigos, a veces incluso por los huéspedes de su *bed and breaksfast*. Al parecer, su bondad no conocía límites.

–Confieso que me siento mejor –comentó él–. ¿Y tu madre? ¿Qué le pareció que te vinieras a Grecia conmigo? –preguntó con interés–. ¿Le dijiste quién soy?

–Sí.

–¿Y qué dijo?

Para decepción de Ludo, Natalie apartó la mano

que tenía todavía sobre la suya y se encogió de hombros.

–Me dijo que tuviera cuidado. También me dijo que te dijera que sentía mucho lo de tu hermano. Había oído hablar de él. Me dijo que tenía fama de ser muy buen pediatra y que la comunidad griega lo tenía en alta estima.

Aunque Ludo sabía que su madre era griega, le perturbó descubrir que había oído hablar de su hermano y de su muerte. También le perturbó que hubiera aconsejado a su hermosa hija que «tuviera cuidado». Eso solo podía significar una cosa. A sus ojos, Ludo, no era tan de fiar como su hermano. Su humor se tornó de nuevo sombrío.

–Confiemos en que eso la convenza de que estás en buenas manos –comentó con sequedad–. Aunque parece que no se fía mucho de mí o no te aconsejaría que tuvieras cuidado.

–A todas las madres que quieren a sus hijas les preocupa con quién van, sobre todo cuando se trata de hombres.

–Pues bien, mi hermosa Natalie, haré lo posible por aliviar sus miedos y devolverte a casa completamente intacta.

Sonrió de mala gana, hizo una seña a un auxiliar de vuelo que había cerca y pidió una copa de brandy Remy Martin.

Cuando llegaron a la maravillosa villa situada al lado del mar, Allena, el ama de llaves, y su esposo

Christos salieron a recibirlos. Cuando ambos lo abrazaron con calor, Ludo casi se sintió abrumado por el placer genuino que mostraba la pareja al volver a verlo. Eso le hizo darse cuenta de hasta qué punto había echado de menos sus rostros familiares y su cariño sin reservas.

Cuando les presentó a Natalie, se mostraron algo más reservados, pero sus sonrisas no podían ocultar su placer y curiosidad. Sin duda habían oído ya el rumor de que llevaba a su prometida a casa. Una oleada de culpabilidad descendió sobre él.

Allena le dijo que les había preparado algo especial para cenar y que había bebidas frías esperándolos en la terraza. Christos sacó el equipaje del coche y su esposa y él lo metieron en la villa para llevarlo a sus habitaciones. Contento de quedarse a solas con Natalie en la intimidad de su casa, Ludo la guio a través de la sala de estar abierta hasta la amplia terraza para ver las vistas. No pudo reprimir la sensación de orgullo que le daba saber que a ella le gustarían.

El azul del mar resplandecía bajo el sol de media tarde a poca distancia de la puerta, tan inmóvil y perfecto que parecía una sábana de cristal brillante. Y la cálida brisa que acariciaba su piel iba cargada con el olor de las buganvillas. Natalie observó encantada que las hermosas flores rojas y rosas cubrían generosamente todas las paredes blancas que había a la vista. Le costaba creer que no estuviera soñando. Había anhelado durante mucho tiempo volver a Grecia, y encontrarse allí, en aquel lugar paradisiaco con un hombre tan atractivo y carismático como Ludo Petrakis, hacía que la experiencia pareciera aún más una fantasía increíble.

–¡Qué vista tan espectacular! Sencillamente maravillosa. Es aún mejor de lo que pensaba –ella apoyó las manos en la barandilla de la balaustrada de pilares de piedra.

Su compañero sonrió.

–Mucha gente la llama la Joya del Egeo.

–Y debe de serlo.

Ludo negó con la cabeza.

–Personalmente, creo que ese título debería ser para mi isla.

–¿Cómo que tu isla?

Natalie no sabía por qué, pero el corazón se le aceleró un poco más.

–Se llama Margaritari, que en griego significa «perla».

–Eso es precioso. ¿Y esa isla está en un lugar que te gusta especialmente?

Ludo miraba el mar y una brisa repentina levantó unos mechones de su pelo y los lanzó sobre su frente. En su mejilla se movió un músculo y él se quedó inmóvil.

–Estaba tan enamorado de ella que la compré. Pero ahora ya no estoy tan enamorado, pues el accidente de barco en que murió mi hermano se produjo allí –dijo.

Se apartó de ella y fue a sentarse en un sillón de mimbre situado al lado de una mesa de madera.

–No sé qué decir –Natalie se movió de inmediato

al otro lado de la mesa para poder ver la expresión de él–. ¡Qué golpe tan terrible que el accidente ocurriera en las aguas de tu isla!

Le resultaba casi insoportable imaginar a Ludo consumido no solo por el dolor, sino también por la culpabilidad. ¿Se echaba la culpa del accidente? ¿Por eso parecía a veces tan atormentado y no creía que lo tuvieran en tan alta estima como a su hermano Theo?

–Sí, lo fue. Todavía lo es –él no se molestó en intentar disfrazar el dolor que lo embargaba y que estaba claramente escrito en su cara–. Yo lo alentaba a menudo a que se tomara vacaciones y disfrutara de la isla todo el tiempo que quisiera. Es un lugar mágico y muy íntimo y yo confiaba en que usara su magia con él y le ayudara a relajarse. Casi nunca se tomaba tiempo libre de su trabajo y mis padres a menudo se preocupaban porque parecía muy cansado.

Ludo se levantó y caminó alrededor de la mesa. Se paró delante de Natalie y su mirada resultaba tan atormentada, que ella contuvo el aliento.

–Por fin aceptó mi oferta y fue a quedarse allí. Un día salió en un barco y se hundió. Fue difícil entender cómo había ocurrido. Theo era un buen marinero. Pero después me enteré de que aquel día hubo rachas fuertes de viento. Al parecer, debieron de golpear el mástil y volcaron el barco sin que él pudiera evitarlo. Nadaba bien, pero el forense nos dijo que, si estaba fatigado, sus reacciones habrían sido lentas y por eso había sido arrastrado debajo del barco y se había ahogado.

–Ludo, lo siento mucho... de verdad.

–Una cosa así... una pérdida tan terrible... el dolor no desaparece nunca.

Natalie se acercó a abrazarlo simplemente por la necesidad de ofrecerle consuelo. Al principio notó el cuerpo de él rígido como el tronco de un árbol, inamovible, sin ninguna suavidad. A Natalie le dio un vuelco el estómago y pensó que había hecho lo que no debía. Pero, cuando iba a retirarse, Ludo la tomó por los hombros y la besó en los labios con un beso apasionado que la dejó sin aliento e hizo que se le doblaran las piernas.

La ola de puro deseo que atravesó su cuerpo en respuesta al beso fue como un rayo que saliera de un cielo azul de verano sin nubes. Natalie soltó un gemido que le costó creer que fuera suyo. Iba acompañado de una languidez deliciosa que la invadió de pronto como una fiebre y ella no pudo sino devolverle el beso con el mismo ardor, encantada con la sensación de su cuerpo duro bajo sus dedos exploradores, hasta tal punto que al principio no notó que la mano de él se posaba en su pecho ni percibió que estaba excitado.

Atónita por haber dejado que las cosas llegaran tan lejos, intentó apartarse, pero Ludo la sujetó y la miró con una sonrisa.

–¿A dónde crees que vas?

Natalie no se movió. No podía.

–No he debido hacer eso –aunque su intención había sido retirarse, la mirada sexy de él la tenía transfigurada.

Ludo apoyó las manos en las caderas de ella y miró sus labios.

–Has hecho lo correcto, no te equivoques. Yo estaba en un lugar oscuro y tu abrazo cálido y bienvenido me ha sacado a la luz.

–Entonces no me arrepiento –Natalie no se movió.

–Eso me complace mucho –él le tomó un mechón de pelo y lo enroscó alrededor de sus dedos como embrujado por el tesoro que había encontrado.

El ama de llaves apareció en el patio justo entonces.

–Disculpe, señor Petrakis –comentó en inglés, sin duda por deferencia con la invitada–. Sus habitaciones están preparadas.

–Gracias, Allena –respondió Ludo. Soltó el mechón de pelo que había capturado y se colocó al lado de Natalie.

Esta se ruborizó y se volvió lentamente. Justo a tiempo recordó que no tenía por qué sentirse avergonzada, ya que se suponía que era la prometida de Ludo. Pero eso no ayudó a enfriar el calor que fluía todavía como un río furioso por sus venas.

–Vamos.

Ludo le puso una mano debajo del codo y la guio de vuelta a la villa y por unas escaleras de mármol blanco. Natalie recordó que el ama de llaves había hablado de «habitaciones» en plural e intentó no sentirse tan tensa. Aunque Ludo la atraía mucho, todavía le resultaba abrumador imaginárselo en su cama. Para empezar, porque su experiencia en ese campo era extremadamente limitada. De hecho, podía decir que no existía. No era raro que estuviera tensa. Y por si no bastara con eso, al día siguiente la presentaría a sus padres como su prometida. ¿Y si ellos adivinaban que estaba fingiendo?

–Esta habitación es para ti.

Ludo le hizo señas de que entrara delante. A ella le dio un vuelco el corazón cuando posó la mirada en la imponente cama de madera tallada que tenía delante. Con su dosel de seda dorada y colcha a juego, y una serie de cojines de colores escarlata y oro, era una cama digna de una princesa. Natalie pensó que era una cama creada para la seducción perfecta.

Consciente de que Ludo observaba su reacción, pasó la vista de la cama a los cuadros que decoraban las paredes. Pero no le ayudó ver que estos mostraban algunas de las historias más sensuales de la mitología griega. Había una copia de *El despertar de Adonis*, de John Waterhouse, y dos pinturas al óleo de Afrodita y Andrómeda. Esta última estaba pintada cuando se hallaba encadenada a las rocas antes de que Perseo llegara a rescatarla del monstruo marino.

Natalie observó los cuadros de las dos mujeres de pechos desnudos y sintió que la sangre se le espesaba en las venas como si fuera melaza. Desde que conociera a Ludo parecía haber desarrollado una conciencia nueva de su feminidad, de necesidades que habían estado mucho tiempo dormidas.

Y resultaba desconcertante que decidieran despertar en ese momento.

Se volvió y suspiró de placer cuando vio la vista que tenía ante sí. Los amplios ventanales estaban abiertos y mostraban una panorámica impresionante del mar. Natalie se volvió para hacer partícipe de su alegría a su anfitrión.

–No sé qué decir. Es una vista increíble. Me siento muy afortunada –sonrió–. De estar aquí, me refiero.

Ludo la miró a los ojos.

–¿Porque estás aquí conmigo o porque te has enamorado de mi país? –bromeó.

–Siempre he estado enamorada de Grecia –murmuró ella–. También es el país de mi madre, ¿recuerdas?

–No lo he olvidado. ¿Pensabas que sí?

Se colocó delante de ella y la miró con pasión suficiente como para derretirla hasta la médula. Natalie se pasó una mano con nerviosismo por la parte delantera del vestido.

–¿Has dicho que esta era mi habitación? ¿Puedo preguntar si tienes intención de compartirla?

–No, Natalie, no la tengo –los ojos de él brillaron enigmáticos–. La única habitación que compartirás conmigo, y solo si te invitas tú misma, es la mía. Está justo al lado y la puerta estará siempre abierta durante la noche por si te sientes inclinada a visitarme.

Aquello no era lo que ella esperaba que dijera.

–Está bien –respondió, a la defensiva–. Siempre que no des por sentado que iré a visitarte –se sonrojó–. Después de todo, nuestro compromiso es solo fingido.

Ludo rio con suavidad y le apartó un mechón de pelo de la mejilla.

–¡Qué joven tan encantadora eres! Pero tengo que recordarte que hicimos un trato, ¿no?

Natalie alzó la barbilla e hizo una mueca.

–Sí, es verdad, pero hasta donde yo recuerdo, el trato no incluía sexo. Solo acordamos que vendría a Grecia contigo y que fingiría ser tu prometida. No dijimos nada de tener relaciones íntimas.

–¿Estás diciendo que no te atraigo?

–Obviamente, después del beso de antes, si dijera eso, mentiría. Pero que te encuentre atractivo no significa que me vaya a acostar contigo a las primeras de cambio.

–¿No? –preguntó él, sardónico.

La abrazó con ardor y volvió a besarla. Ella abrió la boca para recibir la invasión cálida de la lengua de él y no pudo reprimir un gemido de placer. Notó de inmediato el calor que irradiaba de él y la dureza acerada de su cuerpo fuerte y musculoso. Si seguía drogándola de aquel modo con sus besos, sabía que no podría negarle la visita nocturna... y la aterrorizaban las implicaciones de ese hecho.

Apartó los labios con determinación y forzó una sonrisa.

–¿Crees que puedo quedarme sola para deshacer el equipaje? Quizá cuando termine pueda reunirme contigo para esa bebida fría que el ama de llaves dijo que esperaba en la terraza.

–Tú sí que sabes negociar, querida. ¿Era esa tu intención? ¿Volverme loco de deseo para que te dé todo lo que me pidas?

–Hablas como si yo tuviera un plan. Te aseguro que no es así. Si estoy aquí, es porque accediste a pagarle a mi padre un precio más justo por su negocio. Tú cumpliste tu parte del trato antes de salir de Inglaterra y ahora yo cumplo la mía. Aparte de eso, no tengo otras expectativas que disfrutar de unas vacaciones. Hace mucho tiempo que no me tomo un descanso.

Ludo alzó las manos en el aire con frustración.

–Pues deshaz el equipaje y ven a la terraza lo antes que puedas. Pero que sepas que tengo intención de monopolizar cada minuto de tu tiempo mientras estés aquí. Hasta tal punto que, cuando llegue el momento de que te vayas, la mera idea de alejarte de mi país y de mí te romperá el corazón.

Se acercó a la puerta y salió con aire enfadado. Natalie fue a sentarse en la cama y apretó las manos sobre el pecho, sorprendida y algo escandalizada.

Ludo no era un hombre que se calmara fácilmente cuando se frustraba. Como una larga ducha de agua fría no ayudó a templar su deseo, salió a la pequeña terraza adyacente a su dormitorio en un intento por disfrutar de aquella vista del Mediterráneo de la que llevaba tres años privándose. Mezcladas con las imágenes de Natalie, llegaron a su mente recuerdos de su infancia y su juventud.

Respiró hondo y se esforzó por controlar sus emociones. Acababa de empezar a relajarse un poco cuando divisó un pequeño barco de vela en el horizonte. Era de un tamaño y proporciones parecidos a los del barco que había usado su hermano durante su estancia en Margaritari.

«¿Por qué no insistí en darle un barco más grande y más sólido? Así habría tenido menos probabilidades de hundirse con los vientos racheados».

Pero aunque su corazón latía con fuerza a causa de los remordimientos y de la pena, también recordaba la voz divertida de su hermano diciendo:

–Un barco más grande tiene que manejarlo más de un hombre, hermanito. Y yo quiero estar solo estas vacaciones. Estoy rodeado de gente todos los días que trabajo y a menudo también durante la noche si estoy de guardia. Un barco pequeño me servirá de maravilla.

Ludo se frotó el pecho con el canto de la mano y suspiró. De algún modo tendría que aceptar lo que le había ocurrido a su hermano o tendría que cargar con los remordimientos el resto de su vida. Y no podía permitir que ocurriera eso porque, si lo hacía, el maravilloso ejemplo de Theo de cómo llevar una vida buena y útil quedaría enterrado junto con su recuerdo.

Una vez más, buscó distraer sus perturbados pensamientos con el recuerdo del calor de la boca sexy de Natalie y la sensación de su cuerpo en las manos. Se permitió una breve sonrisa de anticipación y se preguntó si esa noche sería la noche en que ella lo visitaría en su habitación. La esperanza de que así fuera le hizo darse cuenta de que hacía una hora que la había dejado sola. Seguramente habría terminado ya de deshacer el equipaje, ¿no?

Ella solo había llevado consigo una maleta pequeña y su bolso grande. En su experiencia, las mujeres solían llevar mucho más equipaje cuando iban de vacaciones con él; pero él ya sabía intuitivamente que Natalie no era como las demás mujeres que conocía. No era egocéntrica ni vanidosa y, o mucho se equivocaba Ludo, o tampoco intentaba impresionar a nadie.

Llamó a su puerta un par de veces y, como ella no apareció, Ludo corrió escaleras abajo para ver a dónde había ido.

Capítulo 7

NATALIE deshizo el equipaje y colgó la ropa con las entrañas ardiéndole por la posibilidad de volver a ver a Ludo. Ese no era el modo en que ella había imaginado el comienzo de su estancia en Grecia.

Tomó una ducha en el hermoso baño de mármol blanco y se puso uno de sus vestidos favoritos. Era uno de color naranja quemado de una tela suave y una caída elegante hasta los pies. Con el sol del Mediterráneo brillando a sus espaldas y llevando un vestido hasta los pies, tenía la sensación de estar de verdad de vacaciones... al menos mientras no pensara en que Ludo estaba enfadado con ella ni en la miríada de posibles problemas que podían surgir por haber accedido a hacerse pasar por su prometida.

Tenía la impresión de que a él le había enfurecido que hubiera osado negarle algo. A Natalie se le había ocurrido ya que él era probablemente un hombre que utilizaba el placer físico como modo de calmar un profundo dolor. Le había negado ese modo de aliviar su dolor y no era difícil entender que hubiera reaccionado con furia. La muerte de su hermano y su exilio autoimpuesto de su país debían de pesarle mucho y el anhelo que expresaba su voz bastaba para romperle el corazón a ella.

Ludo entró en un pasillo con arcos que llevaba al comedor, la cocina y a un huerto adorable cuidado por Allena y su esposo, y descubrió a dónde había ido Natalie. Charlaba animadamente con Christos, y Ludo vio con placer que llevaba un hermoso vestido de color naranja. Se había recogido el pelo en la parte superior de la cabeza de modo que caían unos mechones sueltos enmarcando su cara y el escote del vestido mostraba su cuello fino y sus hombros esbeltos. La caída de la tela resultaba perfecta para su figura.

Natalie se volvió como si intuyera su presencia y de inmediato se sonrojó. Ludo sonrió.

–Así que estás aquí. Y veo que te has vestido para la cena. Estás tan adorable como la propia Afrodita. Ven, déjame verte.

Le tomó la mano y la hizo girar lentamente para observar todas las facetas del vestido y de su adorable figura. Detrás de ellos, Christos se alejó por el jardín con una sonrisa de comprensión.

–Me recuerdas a una hermosa ninfa del agua con ese vestido –comentó él, con voz ronca.

–¿Las ninfas no son criaturas efímeras llenas de gracia? –preguntó ella con ojos brillantes–. Imagino que no me compararás con una de ellas. Cuando era niña, mi padre siempre me decía que tenía tanta gracia como un elefante con dos pies izquierdos.

–Te preguntaría si estaba ciego, pero lo conozco y sé que no.

–No. Supongo que solo era realista.

–¿Y tú has pensado desde niña que careces de gracia?

–Era una broma familiar. No significa que no me quisiera.

Como Natalie se las arregló una vez más para embrujarlo con su hermosa sonrisa y sus ojos brillantes, Ludo la atrajo impetuosamente hacia sí, pues necesitaba abrazarla para conocer una vez más el placer de tenerla en sus brazos con sus exquisitas curvas femeninas apretadas contra su cuerpo. Parecía que, cada vez que la tocaba, cada vez que la miraba, se extendía un fuego por sus venas que no podía apagar fácilmente. Al menos hasta que la hiciera suya. Solo cuando ella lo mirara con el mismo anhelo y lujuria que sentía él en ese momento, empezaría a sentirse remotamente satisfecho.

–Debería haberte dicho todos los días lo preciosa que eras para él –murmuró. La besó con suavidad en la mejilla.

–Puede que no dijera esas palabras –repuso Natalie–, pero yo sabía que sentía eso. No quiero que te hagas una impresión equivocada de él. Te aseguro que en el fondo es un hombre que quiere mucho a su familia.

Ludo miró los suaves ojos grises de ella y pensó en su comentario.

–Creo recordar que cuando nos conocimos te cuestionabas si eras una buena hija. En mi opinión, por lo que he observado hasta ahora, lo eres. Pero creo que asumes demasiada responsabilidad por tu padre. ¿Tienes tú la culpa de que adquiriera los hábitos destructivos que tuvieron como resultado que se viera obligado a vender su negocio?

–Por supuesto que no.

Natalie frunció el ceño y se apartó. Ludo lamentó el impulso que le había hecho mencionar las deudas de su padre. Pero se sentía sinceramente agraviado en nombre de ella. Una cosa era ser una buena hija y, otra, sentirse responsable por los errores que cometía su padre. Suspiró.

–Por favor, no creas que te digo lo que debes pensar o sentir. Simplemente me preocupa que no te valores lo suficiente. Además, tengo la costumbre de ser franco y sé que mi estallido de antes debió de molestarte.

Se acercó y le puso con gentileza un mechón de pelo detrás de la oreja. Ella sonrió.

–No estoy molesta. La tensión del viaje puede poner nervioso a cualquiera. Pero yo también voy a ser franca, Ludo. Creo firmemente que una preocupación compartida es una preocupación dividida. Sé que sigues llorando a tu hermano y te preocupa ver a tus padres después de tanto tiempo, pero podría ayudarte hablar de eso conmigo. Me digas lo que me digas, prometo que jamás traicionaría una confidencia. Solo escucharía y, si puedo, te apoyaría.

–Pues claro que sí –la expresión de él era sombría–. Probablemente es lo que haces con todos los corazones heridos que se cruzan en tu camino, ¿verdad? El *bed and breakfast* que tienes con tu madre seguramente será una sucursal de los samaritanos –frunció los labios–. ¿Y quién no estaría dispuesto a hablar con una belleza como tú?

No pretendía ser cruel, pero no pudo reprimir la amargura que brotó en él de pronto. ¿Por qué no había tenido a alguien como Natalie cerca cuando se había enterado de la muerte de Theo? ¿Alguien a quien hubiera podido mostrarle su pena? ¿Alguien que no lo juzgara ni viera una posibilidad de progresar por su asociación con él?

Movió la cabeza.

–Lo siento, Natalie. Pero este no es el momento de desnudar mi alma. No digo que haya cerrado la puerta a esa posibilidad, pero ahora no.

Ella le dedicó otra sonrisa comprensiva y, por unos momentos, Ludo se permitió simplemente regodearse en ella como si fuera lluvia fresca después de una larga sequía cálida.

–Christos me estaba hablando de tu jardín –dijo ella–. Que está lleno de naranjos y limoneros. ¿Puedo verlo?

–Será un placer enseñártelo.

Ludo la tomó del codo sin poder evitar sentirse orgulloso. La belleza y la generosidad de la naturaleza había sido siempre una de sus pasiones, pero, aparte de su madre, no había encontrado otras mujeres que pensaran como él.

Christos, al verlos, se tocó el ala de su sombrero de paja para saludarlos.

–Han venido en el momento apropiado para disfrutar de las naranjas y limones, señor Petrakis –dijo en griego–. Ahora es cuando están en su mejor momento.

–Lo sé. Y, por cierto, gracias por todo el trabajo que dedicas al jardín. Estoy convencido de que tu toque mágico es lo que hace que todo crezca tan bien.

–Es un placer para mí.

A Ludo le complació saber que su fiel empleado seguía contento con él. Cuando su esposa y él se jubilaran, les proporcionaría una casita y un jardín para que él siguiera disfrutando de su pasión. Siguió avanzando con Natalie y entraron en el camino de piedra roja que llevaba a la zona donde estaban los cítricos. Antes de ver los árboles, les llegó ya su olor.

Natalie se apartó de él y aplaudió con entusiasmo.

–Este olor es increíble.

–Sigue andando –él sonrió–. Y verás la fruta.

Era como entrar en el jardín del Edén. El perfume y la vista de las naranjas y limones colgando de las ramas entre una alfombra verde esmeralda resultaba maravilloso. El placer de Natalie se veía aumentado también porque su atractivo acompañante parecía mucho más relajado que antes. La brisa alzó un mechón de pelo dorado de su frente y en ese momento pareció tan joven y despreocupado que ella pudo imaginarlo en un tiempo más amable, antes de que la tragedia de la pérdida de su hermano y la separación de su país hubieran causado cicatrices indelebles en su corazón que probablemente no se borrarían nunca.

–Me deja sin habla –ella movió la cabeza y se puso una mano en el corazón–. Hace que me pregunte qué he podido hacer para recibir este regalo.

Ludo se acercó y le tomó la mano. Arrancó un fruto amarillo de una de las ramas.

–Abre la palma –le dijo.

Ella obedeció y él estrujó el limón hasta que se abrió la piel y el jugo maduro cayó en la piel de ella como néctar brillante, llenando su olfato con el aroma fresco del fruto besado por el sol. Acercó la mano a su nariz.

–Es glorioso –sonrió–. Debe de ser el mejor olor del mundo.

–Si le añades una cucharadita de azúcar al jugo y te frotas las manos, te aseguro que tendrás el mejor método de suavizar la piel que puedas encontrar.

–¿Cómo sabes eso?

Ludo sonrió de placer.

–Se lo oí a mi madre. La veía untarse zumo de limón con azúcar en las manos después de fregar los platos. Y te puedo asegurar que sus manos eran siempre suaves como las de un niño. Pero no hace falta que me creas; compruébalo por ti misma.

–Lo haré.

–Ahora vamos a la fuente para que te laves las manos.

En una magnífica fuente de piedra, de agua cristalina que caía de la jarra esculpida de una joven pastora, Natalie se lavó las manos y las acercó al rostro para refrescar las mejillas besadas por el sol. Sonrió.

–Así está mejor.

–Creo que debemos ir a cenar. Allena ha preparado algo especial y, si no me equivoco, será mi *moussaka* favorita, seguida de *baklava.* Espero que seas golosa.

–Sí, y las *baklava* me encantan.

Ludo la miró un momento.

–Es gratificante saber que puedes ceder a la tentación –musitó–. Porque en este momento tú eres una gran tentación para mí –le tomó la mano de nuevo y ella le dejó hacer, disfrutando de su contacto y segura de que podía fácilmente volverse adicta a él.

Ludo echó a andar con ella por el camino de piedra y hasta la casa.

Después de disfrutar de la soberbia *moussaka* y la ensalada que les sirvió Allena, además de la *baklava*, tomaron café en la terraza donde Ludo había llevado a Natalie nada más llegar. Ya casi había oscurecido y la superficie del Mediterráneo brillaba, no con la luz del sol, sino con la claridad serena de la luna.

Natalie se sentó en un sillón de mimbre y suspiró de contento. Vio que Ludo había cerrado los ojos y no supo si se había adormilado o simplemente estaba sumido en sus pensamientos. Desde luego, no resultaba difícil relajarse allí. En realidad, empezaba a creer que él tenía razón. Le partiría el corazón irse de allí... dejarlo a él.

Aquella idea la sobresaltó. El impulso que le había hecho aceptar su propuesta de acompañarlo se empezaba a volver contra ella. Y al día siguiente la presentaría a sus padres como su prometida. Aunque le gustaba aquel país adorable y anhelaba tener tiempo para explorarlo, no estaba segura de poder fingir como había prometido.

Vio que él movía la mano en su muslo y comprendió que no dormía, solo guardaba silencio.

Natalie tomó su taza de café de la mesa.

–¿Ludo? ¿Estás bien?

–Pues claro que sí. ¿Por qué lo preguntas?

–Solo estoy preocupada por ti. Tengo la impresión de que empezaste a cerrarte desde que te dije que mi madre sabía lo que le había pasado a tu hermano. Casi no hablaste durante el viaje aquí. Yo no pretendía molestarte al contarte lo que me había dicho ella.

Ludo se llevó una mano a la sien.

–A veces creo que los griegos tenemos la sensación de saber lo que le pasa a alguno de nosotros aunque no nos conozcamos. No debería haberme sorprendido que tu madre estuviera enterada de la tragedia, pero me sorprendió. Si parece que me he cerrado un poco, es porque cualquier referencia a mi hermano me produce tristeza. Además, mañana tengo que ver a mis padres y explicarles por qué hui después del funeral.

Natalie tragó saliva.

–¿Huiste?

–Sí. Hice las maletas y me marché inmediatamente después del funeral sin darles ninguna explicación. No podía soportar su dolor. Me destrozaba verlos sufrir tanto y no saber lo que hacer. Siempre habían sido como mi hermano... fuertes y seguros. Como si nada pudiera alterar su firmeza.

Movió la cabeza y se pasó los dedos por el pelo con agitación.

–Y, en vez de apoyarlos en ese momento terrible, salí huyendo. Quería bloquear el pasado y todo lo ocurrido sumergiéndome en el trabajo y esforzándome por no pensar en ello.

–¿Y eso te ayudó?

–¡Pues claro que no! –Ludo se levantó del sillón furioso consigo mismo, con ella y quizá también con el mundo–. Descubrí que puedes huir todo lo que quieras, pero no puedes dejar atrás el dolor. Este viaja contigo. Lo único que conseguí huyendo fue aumentar mi sensación de culpabilidad. Y saber que, como hijo, había fallado a mis padres. Ellos habían dedicado su vida a criarnos a Theo y a mí, y mira cómo se lo pagué. Es imperdonable.

La angustia de su voz hizo que Natalie se levantara.

–No lo hiciste deliberadamente, no fue algo planeado. Tú también sufrías, no lo olvides. Fue una reacción muy comprensible.

Él bajó las manos a las caderas y la miró con desolación.

–El único modo de compensarlos por ello es presentarte como mi prometida. Por eso tienes que hacer esto por mí. No basta con que regrese a casa solo.

–¿Por qué? –ella lo miró–. ¿Por qué no basta? Tú eres su hijo querido. Un hijo del que tus padres estarán orgullosos. Y la gente perdona a las personas que ama incluso cuando hacen algo supuestamente «imperdonable».

–¿Tú crees? –a él le brillaron los ojos con cinismo–. Me pregunto cómo te has vuelto tan optimista. En mi experiencia, es muy difícil perdonar a alguien que te ha hecho daño.

–Pero, si ves que te haces más daño a ti mismo no perdonándolos, quizá no sea tan difícil. Por ejemplo, cuando mi padre nos dejó a mi madre y a mí, me sentí tan destrozada que pensé que no volvería a confiar en él. Pensé que era un embustero y merecía no ser feliz nunca más. Durante mucho tiempo no quise verlo. Pero mi madre no permitió que hablara mal de él y me decía que lo perdonara. Créeme, no fue fácil. Pero tenía que hacerlo si quería tener paz, porque guardar ese dolor en mi corazón me estaba matando. Y cuando tuvo el infarto, la decisión de perdonarlo fue fácil. Y me alegro de haberlo hecho, porque ahora estamos más unidos que nunca.

Natalie se pasó los dedos por el pelo.

–Pero estábamos hablando de tus padres. Solo quería decir que creo que, si quieres de verdad a alguien, ese amor no muere nunca. No dudo ni por un segundo de que tus padres ya te han perdonado. Mi madre me dijo una vez que el amor por un hijo supera a cualquier otro y sigue vivo incluso cuando muere un padre.

Le ardía la cara. Ludo no se había movido ni había intentado interrumpirla. El modo en que la miraba sugería que estaba pensando, quizá encontrando solaz en la aseveración de ella de que el amor de los padres no moría nunca. A Natalie solo le quedaba rezar para que fuera verdad.

Ludo se encogió de hombros.

–Si mis padres me perdonan o no, lo descubriremos mañana. Pero de momento pienso ir a dar un largo paseo para reflexionar en nuestra reunión.

–¿Quieres que te acompañe?

Él frunció los labios.

–No. Este paseo debo darlo solo. Si quieres distraerte, pide a Allena que te muestre las distracciones que hay en la casa. Y, si necesitas algo, pídeselo. Si te apetece retirarte temprano, hazlo. No te molestes en esperarme levantada. Podemos hablar mañana durante el desayuno. Buenas noches, Natalie. Que duermas bien.

Ludo se acercó y le rozó la mejilla con los labios casi con aire ausente. Cuando se volvió para marcharse, su olor se mezcló con el de las buganvillas que cubrían una de las paredes de la terraza; casi como si las flores registraran su marcha y quisieran retenerlo.

Capítulo 8

A LUDO le gustaba la noche. Y le gustaba todavía más el aire nocturno de su país. Fuera donde fuera la gente en la isla, el aire que inhalaba estaba impregnado de distintos aromas sensuales. Olía a aceitunas y a pino, a buganvillas y a jazmín, a pan hecho en hornos de piedra tradicionales. Pero lo que más le gustaba a Ludo era ver y oír el Mediterráneo y el mar Egeo. Eso siempre lo había calmado y centrado por muy preocupado que estuviera.

Sin embargo, el día que se había enterado de que Theo se había ahogado cerca de la costa de Margaritari había despreciado el mar. ¿Cómo podría volver a disfrutar con él después de que le hubiera arrebatado cruelmente a su hermano?

Caminó por la playa desierta y se detuvo a mirar la luna creciente que colgaba en el cielo.

–Pedid un deseo cuando haya luna creciente –les decía su madre a menudo cuando eran niños–. Si lo hacéis, se cumplirá seguro.

Ludo había pedido ser muy rico. Theo sin duda habría pedido algo más humanitario, como poder ayudar a los menos favorecidos. Incluso de chico mostraba ya una gran amabilidad y paciencia. Y Ludo sabía que, por su parte, renunciaría sin dudarlo a todas sus riquezas si así pudiera recuperar a su hermano.

Una vez más, un dolor agudo lo atravesó como una flecha. Siguió caminando por la playa. Un par de turistas lo saludaron y él devolvió el saludo y continuó su camino. Esa noche no se sentía nada sociable.

Se quitó los zapatos y, a pesar de su pena, pensó que debía haber aceptado la oferta de Natalie de acompañarlo. Ya había empezado a descubrir que la presencia de ella lo tranquilizaba. Y lo excitaba.

Sintió de pronto un fuerte impulso de oír su voz, de escuchar los consejos alentadores que parecían surgir de un modo natural en ella. ¿Y si bajaba la guardia y admitía que no quería seguir soportando solo los miedos y las preocupaciones que lo asediaban? ¿Y si le pedía a Natalie que los compartiera? ¿Estaría ella dispuesta a hacer eso por él?

¿Y se habría acostado ya? Durante la cena había reprimido algún bostezo que otro; estaría deseando dormir una noche seguida, mientras él tendría que soportar otra noche de tortura luchando con sus miedos sobre lo que ocurriría al día siguiente.

¡A la porra con todo! ¿Por qué no podía haberse labrado una vida más sencilla? En lugar de trabajar obsesivamente para intentar acumular cada vez más riqueza, lo que le gustaría en ese momento sería estar disfrutando del amor de su vida, como su padre después de conocer a su madre, estar pensando en formar una familia y quizá vivir parte del año en Margaritari, como había soñado en otro tiempo. Estaba cansado de los interminables viajes que le ocupaban la mayor parte del año. Lo que de verdad quería hacer era pasar tiempo con su familia y amigos, sumergirse en los valores sencillos pero firmes que brillaban como un faro de bondad y sentido común en un modo que a menudo se movía demasiado rápido, donde la gente pasaba de un placer a otro buscando el objetivo más esquivo de todos... la felicidad.

La verdad era que el mundo de los negocios había perdido su atractivo desde la muerte de Theo. Se había refugiado en él al alejarse de sus padres, pero lo único que había conseguido fue estar solo. En realidad, había echado de menos su casa y su país mucho más de lo que se había confesado a sí mismo.

Pensó en Natalie. ¿Iría a visitarlo en su habitación una de esas noches como le había sugerido? Ludo no sabía por qué, pero, a pesar de la conexión casi instantánea que habían compartido, intuía que no debía seducirla solo para satisfacer su deseo. Tenía que darle tiempo para que se diera cuenta de que su necesidad era tan grande como la de él. Cuando ella lo entendiera así, la relación entre ellos sería explosiva.

Pero pensar en el futuro no le ayudaba en ese momento. Golpeó la arena con el pie con frustración y caminó hacia el agua.

Él no era el único que se dejaba ganar por sus encantos. Sus modales gentiles y su sonrisa fácil habían empezado ya a crear un vínculo entre Allena y ella. ¿Se podía forjar el mismo vínculo entre Natalie y su madre? Se recordó con irritación que su compromiso no era más que un engaño fruto del deseo de convencer a sus padres de que lo vieran bajo una luz más halagüeña. Lanzó una maldición. Se agachó a tomar una piedra que estaba medio enterrada en la arena y la lanzó al agua que lamía la orilla.

Natalie estaba tan cansada que se quedó dormida encima de la cama completamente vestida. Cuando despertó a la mañana siguiente, no sabía qué hora era, pero por las puertas abiertas de la terraza entraba un sol glorioso. Se sentó en la cama y vio que llevaba todavía el vestido naranja de la noche anterior. Se lo quitó y entró en el baño. Se preguntó un momento si habría molestado a Ludo que no lo esperara despierta. Después de todo, ese no era el comportamiento que podía esperarse de la prometida amorosa que sus padres esperaban conocer ese día.

Aquello, darse cuenta de lo que tenía que hacer, fue como un shock, pero también le hizo darse prisa en prepararse para ir a ver a su anfitrión. De pronto tenía muchas preguntas que hacerle sobre la visita a casa de sus padres.

Una Allena sonriente le informó de que Ludo la esperaba en la terraza para desayunar. Natalie respiró hondo, se acercó y lo observó un momento. Estaba sentado en un sillón de mimbre con las rodillas alzadas hasta el pecho y los brazos alrededor de las piernas.

Ese día llevaba una camisa blanca y pantalones de algodón beis. Iba descalzo. Su pelo dorado bañado por el sol y sus largas piernas le hacían parecer un hermoso bailarín en reposo y a ella le latió con fuerza el corazón. Estaba embrujada por la imagen de él.

Ludo se volvió de pronto.

–Buenos días. ¿Has dormido bien? –preguntó sonriente.

–Como un tronco –respondió ella–. Estaba tan cansada que me quedé dormida vestida y no he despertado hasta hace media hora. Espero que no lleves mucho tiempo esperando.

–No. No mucho. Y aunque así fuera, la espera habría valido la pena. Estás encantadora con ese vestido.

Natalie llevaba un vestido sencillo azul de manga corta y cuello bordado con diminutas margaritas blancas. Los pliegues de la falda le caían hasta las rodillas. Le gustaba porque se lo había comprado su madre para el viaje a Grecia y le había dicho que era respetable y modesto pero lo bastante bonito para atraer a la persona «apropiada». Natalie solo quería atraer a un hombre y era el Adonis que estaba sentado frente a ella.

–Gracias. Me lo compró mi madre.

–Estupendo. Es el tipo de vestido que resulta apropiadamente virginal y que causará la impresión correcta –bromeó él–. ¿Por qué no vienes a la mesa a desayunar yogur con miel?

Natalie se sentó frente a él y se sirvió cereales y yogur en un bol.

–¿A qué hora volviste anoche? –preguntó.

–A la una o las dos –él se encogió de hombros–. No lo sé. No estaba pendiente de la hora.

–¿El largo paseo te despejó la cabeza?

Ludo se encogió de hombros.

–Quizá un poco.

–Es muy valiente lo que haces. Volver a casa después de tres años y afrontar lo que pasó –lo animó ella–. Tus padres se alegrarán mucho de verte.

–Tú siempre tan optimista.

–Tal vez –ella frunció el ceño–, pero prefiero ser optimista que cínica.

–Deberías echarle miel al yogur. Supongo que sabes que es lo tradicional. Toma...

Se inclinó hacia ella y llenó una cucharadita de miel. Natalie esperaba que la vaciara en el yogur, pero él se la acercó a los labios para dársela a probar. Ella, obediente, lamió la miel de la cucharilla, muy consciente de que la mirada de Ludo no se apartaba de ella.

–Umm –suspiró–. Está deliciosa.

Su expresión contenía una invitación clara. Aquel hombre la volvía loca. No era muy experimentada en el arte de la seducción, pero empezaba a desear desesperadamente que Ludo la sedujera. Él le sonrió y dejó la cucharilla en un platillo.

–¿Puedes contarme algo más de tus padres antes de que los conozca? –preguntó ella–. ¿Y podemos parar en algún sitio por el camino para comprarle un regalo a tu madre? Me gustaría llevarle algo. ¿Le gustan las flores?

–Claro que sí, pero tiene un jardín lleno de ellas. No tienes que preocuparte por eso. Tu presencia como prometida mía será regalo suficiente.

Natalie frunció el ceño.

–Pero no soy tu prometida, ¿verdad? Solo fingimos que lo soy.

Él frunció los labios con irritación.

–Ya lo sé.

–Y, en cualquier caso, lo educado es llevar un regalo cuando alguien te invita a su casa por primera vez, ¿no?

Ludo suspiró.

–Si significa tanto para ti, pararemos en un lugar que conozco y compraremos un jarrón para que ponga sus flores. ¿Bastará con eso?

Natalie se sintió un poco mejor. Consiguió sonreír.

–Gracias. Sí. ¿Me contarás algo de cómo es tu madre? Me gustaría saberlo.

La expresión de Ludo se relajó al instante.

–Es una hermosa mujer y una madre maravillosa y le encanta que la gente que va a verla esté cómoda. ¿Qué más puedo decirte? –le brillaron los ojos–. Es una cocinera increíble y una costurera muy buena; era modista antes de conocer a mi padre. Él se apoya mucho en ella, ¿sabes?, pero no le gustaría que te dijera eso. Es muy orgulloso. ¿Pero puedes hacer algo por mí antes de seguir hablando?

–¿Qué?

Ludo se acercó un poco más... tanto que ella podía contar cada una de sus pestañas.

–¿Puedes intentar no estar tan adorable cuando sonríes? –preguntó él con voz ronca–. Hace que quiera besarte y eso probablemente me llevaría a quitarte ese vestido virginal que te compró tu madre.

Natalie reprimió un gemido.

–No creo que... Creo que deberíamos...

–¿Probarlo?

Ella tragó saliva con fuerza; tomó una servilleta blanca de papel y se limpió los labios.

–Creo que deberíamos volver a un tema más seguro, ¿tú no?

–¿Aunque casi me esté matando que me mires con esos inocentes ojos grises y no te cuente con todo detalle lo que me gustaría que hiciéramos juntos en la cama?

–¿Yo te hago sentir eso? –preguntó ella con un susurro sorprendido.

–No sabes hasta qué punto –gruñó él. Se levantó y se pasó los dedos por el pelo–. Pero eso puede esperar. Tenemos que ir pronto a ver a mis padres y supongo que debemos prepararnos.

–¿Dónde viven exactamente?

–A cuatro kilómetros de Lindos, pero es una zona muy rural. Y, por suerte, está cerca de la playa.

–¿Tú creciste allí?

Una vez más, Natalie captó nerviosismo en la expresión de Ludo. Seguía aprensivo en relación con la visita a sus padres y probablemente temía lo peor de su recibimiento. Se volvió a mirar el mar.

–Sí, mi hermano y yo crecimos allí. Tuvimos una infancia mágica. Éramos muy libres, como yo creo que deberían ser todos los niños. Muchos días corríamos a jugar a la playa antes de ir al colegio. Luego corríamos a la casa a buscar el desayuno –la miró–. Mi madre nos daba queso blando untado en *psomi* de semillas de sésamo.

–Me encanta ese pan. Mi madre todavía lo hace de vez en cuando, especialmente si vienen amigos a cenar.

–No olvides decírselo a mi madre –propuso él–. Seguro que querrá saberlo –Ludo le tocó la mejilla un momento–. Creo que es hora de irnos. Si quieres preguntar algo más, hazlo por el camino.

Se acercó a las puertas de la terraza y desapareció en el interior de la casa.

Capítulo 9

LA CASA blanca de estilo tradicional que Ludo conocía tan bien apareció ante ellos minutos antes de que el Range Rover llegara al final del camino ondulante por el que viajaban. Aunque la arquitectura era típica de muchas casas de la zona, la casa resultaba más alta e imponente que la mayoría. Estaba construida en la cresta de una colina y se podía ver desde kilómetros.

El camino de tierra se vio pronto reemplazado por otro de piedra bordeado de higueras que llevaba directamente a la terraza blanca con arcos de piedra de la casa. Detrás de la casa, las aguas engañosamente tranquilas del mar Egeo formaban un fondo asombroso y, aunque Ludo conocía bien la vista, no pudo por menos de admirar su belleza.

Pero no la contempló mucho rato. Cuando aparcó el coche, el estómago le dio un vuelco ante la perspectiva de su primer encuentro con sus padres después de tres largos años. ¿Sería posible que le perdonaran alguna vez su abandono en el momento en el que más lo necesitaban, sobre todo su madre? Si no lo hacían, tendría que desearles todo lo mejor y volver a marcharse, aunque eso le rompiera el corazón.

–¿Ludo?

La voz suave de Natalie interrumpió sus reflexiones y le recordó que no tenía que hacer aquello solo. La tensión en su estómago se aflojó un poco.

–Todo irá bien –dijo ella.

Sonrió y él le tomó la mano y se la apretó con gratitud.

–Seguro que tienes razón. Si hay alguien que pueda convencerme de eso, eres tú. Vamos allá, ¿de acuerdo? –su voz sonaba más ronca de lo que era su intención, quizá porque bajar la guardia lo había dejado sintiéndose curiosamente vulnerable.

Salió del vehículo y miró la entrada de la casa. Con el corazón latiéndole con fuerza, vio a sus padres caminando hacia ellos. Eva, su madre, con una túnica azul encima de unos pantalones blancos y el pelo rubio más corto que nunca, parecía tan sencilla y elegante como siempre, aunque algo más delgada. Se agarraba al brazo fuerte y musculoso de su padre.

Este iba de traje, como si quisiera añadir formalidad al encuentro, o quizá recordar a su hijo errante que estaba lejos de ser perdonado y aceptado... al menos por él.

Ludo, muy consciente de que los tres eran presa de emociones, miró a su madre y vio que sonreía vacilante, como si no estuviera segura de cómo la iba a recibir. La expresión de incertidumbre en su hermoso rostro le partió el corazón, pero como la expresión de su padre era muy seria, dudó en abrazarla como era su deseo.

Eva Petrakis no tuvo ese problema. Soltó el brazo de su esposo y lo abrazó con calor. Su cuerpo, todavía esbelto, tembló cuando él le devolvió el abrazo sin vacilar. La había echado mucho de menos.

Ella se apartó un poco para mirarlo, pero dejó las manos apoyadas en sus brazos. Le dijo en griego lo preocupada que había estado por él, que todas las noches al acostarse rezaba para que estuviera bien y volviera pronto a casa.

Ludo, a su vez, le pidió sinceramente perdón. Ella sonrió y le tocó la cara con gentileza. Le dijo que sabía lo que sentía más de lo que él imaginaba. Que no había necesidad de que lamentara sus actos, pues ella los comprendía y nunca lo había culpado por ellos, así que tampoco debía culparse él. Aunque para Alekos y ella había sido muy duro aceptarlo, se habían reconciliado con la idea de que a Theo le había llegado la hora. Y creían profundamente que estaba en casa con Dios.

Besó a Ludo en la mejilla y, bajando la voz, le dijo que tendría que darle a su padre algo de tiempo para que él entendiera el gran regalo que era para ellos volver a tenerlo en casa.

–Sé paciente –le aconsejó.

Ludo observó a su padre por encima del hombro de ella y vio que la pena y el tiempo habían dejado su huella en él. Tenía arrugas profundas en la frente y muchas más canas que tres años atrás. Pero seguía emitiendo la misma formidable energía que Theo había envidiado tanto.

«Si llego a la edad de mi padre y sigo teniendo la fuerza y la energía para hacer en un día todo lo que hace él, sabré que los genes de los Petrakis no me han fallado», solía decir su hermano.

Ludo tragó el nudo que tenía en la garganta a causa de los recuerdos, se apartó de su madre y se colocó con decisión delante del hombre que lo había criado.

–Hola, padre –lo saludó–. Ha pasado demasiado tiempo, ¿verdad?

Aunque era sincero, sus palabras sonaron tensas e incómodas. En vez de abrazar a su padre, como habría hecho normalmente, le tendió la mano. Alekos Petrakis no la aceptó.

–¿Conque por fin te dignas venir a casa? –preguntó con frialdad–. Yo esperaba que al crecer te parecieras a tu hermano Theo en la conducta y el carácter, pero tu ausencia de estos últimos años me ha demostrado que mi esperanza era vana. No te reconozco, Ludovic, y me apena profundamente que sea así.

Ludo retrocedió. Tuvo la sensación de haber recibido un puñetazo fuerte.

–Lamento que pienses así, padre. Pero Theo tiene su camino y yo tengo el mío.

La emoción en su voz lo catapultó de vuelta al niño pequeño que anhelaba que su padre tuviera tan alta opinión de él como de su hermano mayor y no pudo evitar encogerse de vergüenza y de dolor. ¿Su padre no veía nada bueno en él? ¿Las únicas personas que creían en su valía eran las dos mujeres que esperaban pacientemente que se reuniera con ellas?

–«Tenía» –corrigió su padre–. Has dicho: «Theo tiene su camino». Tu hermano ya no está con nosotros, ¿recuerdas?

Ludo maldijo en silencio el desafortunado error. Como no podía soportar la mirada acusadora de su padre, se volvió y vio con sorpresa que su madre se había acercado a Natalie y le sonreía. La joven le tendió el jarrón de cristal que había insistido en comprar como regalo y su madre lo aceptó amablemente. Ludo recordó que le había aconsejado que fuera paciente con su padre y se acercó a ellas.

–No quiere conocerme –murmuró.

–Solo necesita más tiempo, hijo mío –respondió su madre en inglés–. Los dos lo necesitáis. Tiempo para aprender a conoceros de nuevo.

Eva dejó el jarrón en una mesa de hierro forjado que había detrás de ellos y le apretó la mano.

–No nos has presentado a tu hermosa prometida. Acaba de regalarme un jarrón precioso y estoy abrumada por su generosidad.

Ludo tomó la mano de Natalie y la apretó con firmeza. Un chispazo de electricidad pasó al instante entre ellos y la miró un momento a los ojos.

–Madre, esta es Natalie Carr. Natalie, esta es mi madre, Eva Petrakis.

–*Kalos orises,* Natalie. Aunque sé que eres mitad griega, te hablaré en inglés porque mi hijo dice que no hablas griego con tu madre. Es una lástima que no lo hables, pero estoy segura de que eso cambiará tarde o temprano. No te imaginas cuánto tiempo he esperado el momento de recibir en nuestra casa a mi futura nuera, y no me sorprende que seas tan hermosa. Mi hijo siempre ha tenido un gusto exquisito.

Eva abrazó a Natalie, que se sintió envuelta en una nube de perfume Arpège. Sonrió porque era la misma fragancia que usaba su madre y eso hizo que se sintiera inmediatamente en casa.

–Es un placer conocerla, señora Petrakis. Ludo siempre habla de usted con mucho cariño.

Miró al hombre que había a su lado, consciente de que se mostraba más incómodo desde la breve conversación con su padre. Este parecía muy rígido. A Natalie le habría gustado saber lo que se habían dicho, pero supuso que no era nada bueno.

Su madre, sin embargo, era otra cuestión. Resultaba mucho más asequible. Y aunque Natalie no era la futura nuera que tanto anhelaba, curiosamente no le avergonzaba que no fuera verdad. En ese momento solo pensaba que Ludo necesitaba su ayuda. Tenía un contrato con él que pensaba cumplir, así que interpretaría convincentemente su papel de prometida hasta que llegara el momento de regresar al Reino Unido.

–Ludo siempre ha sido mi bebé –Eva sonrió–. Era un niño muy travieso, pero me encantaba que fuera tan juguetón y le gustara divertirse. Nuestros amigos y vecinos lo adoraban. Lo llamaban el ángel Petrakis de cabello dorado.

Ludo enrojeció un poco debajo del bronceado. Natalie adivinó que las palabras de su madre lo habían complacido. Después de lo que había pasado tres años atrás, seguramente anhelaba demostraciones de cariño de sus padres... además de su perdón.

–Ven conmigo, Natalie –Eva la tomó de la mano y caminó con ella hasta el hombre que los observaba en silencio–. Quiero presentarte a mi esposo, Alekos Petrakis.

–Es un placer conocerlo, señor Petrakis.

Natalie intentó mostrarse segura de sí misma, pero le costaba, pues tenía la clara impresión de que no era fácil engañar a aquel hombre. Pero para su sorpresa, él le tomó la mano entre las suyas y su sonrisa pareció genuina.

–Encantado, Natalie. ¿Así que tú eres la mujer que es tan valiente como para atreverse con mi hijo Ludovic?

A ella le latió con fuerza el corazón.

–Nunca se sabe, señor Petrakis, puede que el valiente sea Ludo. No hace mucho tiempo que nos conocemos. Quizá cuando me conozca mejor, descubra que tengo algunas características que lo irritan.

Alekos echó atrás la cabeza y rio con ganas. Pero, antes de que pudiera hablar, Ludo se le adelantó.

–Eso lo dudo mucho, ángel mío. Tienes demasiadas características que me gustan para contrarrestar las otras. Además, eres un placer para los ojos, ¿no estás de acuerdo, padre?

Natalie apenas se atrevía a respirar. Le resultaba claro que Ludo tendía una rama de olivo a su padre... intentando dispersar parte de la tensión con algo de humor. Rezó para que su padre reconociera que era eso lo que intentaba hacer. Alekos asintió con la cabeza.

–Tu futura esposa ciertamente es cautivadora.

Sonrió y su esposa lo tomó del brazo. Miró a Natalie y frunció el ceño.

–¿Por qué no llevas anillo de compromiso todavía? ¿Mi encantador hijo aún no te ha comprado uno?

Ludo puso una mano en la cintura de Natalie.

–Estábamos esperando a llegar a Grecia para elegir uno. De hecho, mañana pienso llamar a un joyero de Lindos amigo mío.

–¿Y asumo que le has pedido su mano al padre de Natalie? –preguntó Alekos con el ceño fruncido–. Ya sabes que es la costumbre.

Ludo la acercó más a él. ¿La había notado temblar? Su mentira de estar prometidos presentaba de pronto más problemas de los que ella había anticipado. Natalie recordó las historias de su madre sobre su infancia en Creta. Los padres de una pareja prometida también tenían que tener un periodo de tiempo para conocerse antes de que sus hijos se casaran.

–¡Fue todo tan repentino! Me refiero al hecho de enamorarnos.

Increíblemente, Ludo la miraba a los ojos como si hablara en serio. Natalie sintió la boca seca. De pronto tenía la impresión de haber entrado en un sueño de fantasía.

–Apenas hemos tenido tiempo de pensar en otra cosa que en el hecho de que queremos estar juntos –explicó él–. Cuando volvamos al Reino Unido, pediré formalmente al padre de Natalie su mano.

–Y después tendréis que volver aquí para que os hagamos una fiesta de compromiso. Si los padres de Natalie quieren estar presentes, y seguro que sí, me llamarás inmediatamente para que podamos organizarlo, hijo mío –la voz de Eva sonaba alegre y deseosa. Miró a Natalie–. Sé que todo ha sido bastante repentino para ti, querida, ¿pero habéis elegido ya una fecha para la boda?

–Creemos que sería mejor más adelante. Quizá en el otoño –intervino Ludo.

Natalie estaba atónita oyéndolo hablar de fecha de boda cuando los dos sabían que eso no iba a ocurrir. Pensó que cuando se quedaran solos tendrían que hablar seriamente. Porque todo aquello iba adquiriendo la urgencia y la velocidad de una ambulancia que corriera al hospital con un enfermo y ella no estaba segura de poder pararlo.

El engaño le hacía sentirse incómoda y culpable. Además, sentía decepción por no estar prometida con Ludo y no ir a casarse con él. Darse cuenta de que estaba enamorada de él hizo que le resultara muy difícil mantener la compostura.

–¿O sea, que respetaréis la época tradicional para casarse, cuando se recogen las aceitunas? –el padre de Ludo asintió con aprobación–. Me parece una buena idea. Ayudará a la gente a ver que eres un hombre de principios, Ludovic, un hombre al que todavía importan los valores familiares, después de todo.

En la mejilla de Ludo se movió un músculo.

–¿Tú no crees que haya tenido siempre valores familiares, padre? –preguntó.

Natalie sintió un nudo en el estómago.

–Yo digo lo que veo –respondió su padre–. Si tenías esos valores, los perdiste cuando murió tu hermano.

Ludo lanzó un juramento furioso y se apartó de Natalie para colocarse delante de su padre. Natalie se encogió. El dolor de él por ser juzgado tan cruelmente por su padre resultaba claramente tangible.

–¿Por qué? –preguntó con rabia–. ¿Porque tú concluyes que me marché sin motivo? ¿Nunca te preguntaste por qué tenía que poner tanta distancia entre nosotros? ¿No adivinaste lo mucho que yo también sufría? Cuando murió Theo, habría dado cualquier cosa porque el accidente me hubiera ocurrido a mí, no a él. A él, todos lo considerabais un hombre bueno, un hijo del que estar orgulloso. Y lo era. Era fabuloso y ayudaba a cientos, quizá a miles, de familias. Mientras que yo...

Miró el suelo y movió la cabeza con confusión y rabia.

–Yo dirigí mi talento a hacer dinero, mucho dinero. Esa es casi una palabra sucia para ti, padre, ¿verdad? No soy digno de que se me considere bueno aunque ayude a la gente creando empleos. ¿Pues sabes qué? Aprendí a hacerme rico de ti. Se necesita sangre, sudor y lágrimas para triunfar en este mundo y eso me lo enseñaste tú. «Trabajad duro y podréis tener todo lo que queráis». Ese era tu mantra en nuestra infancia. Pero cuando Theo se hizo médico, decidiste diferenciar lo bueno de lo malo. Y lo hiciste porque te gustaba la admiración que causaba en tus amigos el hecho de que tu hijo fuera un médico renombrado.

Ludo respiraba con fuerza. Se pasó los dedos por el pelo.

–Pues bien, yo soy lo que soy y ya importa poco lo que pienses de mí ahora. Pero deberías saber que Theo era mi mejor amigo y también mi aliado. Siempre lo recordaré por todo el apoyo y el amor que me dio. Él fue el hombre sabio que me dijo que solo conseguiría sufrir más si luchaba contra tus prejuicios cuando dejabas claro que lo preferías a mí. «Sé tu mismo», me decía. «Sigue a tu corazón dondequiera que te lleve. No necesitas la aprobación de nadie, ni siquiera la de padre». Solo he venido para ver a madre. Lamento haber aumentado aún más su sufrimiento después de la muerte de Theo, y, si hay algo que pueda hacer para compensarla por ello, prometo solemnemente que lo haré.

–Yo nunca he buscado compensación, Ludo. Pero tú has alegrado mi corazón y mi espíritu volviendo a mí y trayéndome a una futura hija.

Eva Petrakis lo abrazó con fiereza. A continuación se acercó a Natalie y le puso una mano en la mejilla. Sus hermosos ojos azules estaban llenos de lágrimas.

–No solo ha vuelto mi hijo, sino que además me

ha traído a la hija que siempre he ansiado. Un día espero que me conceda mi mayor deseo y me dé mi primer nieto.

Natalie tenía la mente en blanco. El estallido de Ludo la había dejado en shock y ahora, después de las palabras de su madre, no se creía capaz de formar una frase coherente. Solo sabía que la mujer que la miraba esperanzada no se merecía más sufrimiento. Pero, por otra parte, su hijo tampoco.

–Creo que ya hemos estado mucho tiempo en el sol –Eva sonrió–. Vamos a entrar y tomar algo. Asumo que os quedáis a almorzar, ¿no? Por supuesto que sí. ¡Tenemos tanto que celebrar! –frunció el ceño a su esposo, que no se había movido del sitio desde las palabras de Ludo–. Ven conmigo, Alekos. Creo que tenemos que hablar antes de reunirnos con los chicos.

Cuando avanzaron hacia las puertas abiertas del patio que llevaba a la casa, Ludo apretó la mano de Natalie con fuerza, como si fuera un salvavidas en una tormenta.

Capítulo 10

LUDO guardaba silencio en el viaje de regreso a la villa y Natalie sabía por qué. Aunque su madre se había esforzado porque los dos hombres firmaran la paz durante el delicioso almuerzo, ambos se habían resistido con terquedad. Ludo estaba enfadado con su padre por no comprender ni perdonar su necesidad de huir después del funeral de su hermano y, en opinión de Natalie, Alekos se aferraba a una antigua opinión de su hijo que no quería o no podía cambiar.

La conversación había recaído principalmente en Eva y en ella y, cuando llegó la hora de despedirse, padre e hijo apenas si se miraron.

La situación no podría haber sido más triste. Después de que Ludo confesara lo que sentía, debería haber habido algún tipo de resolución entre su padre y él, o al menos una voluntad por parte de ambos de perdonar lo que había ocurrido entre ellos para que pudieran empezar a forjar una relación mejor para el futuro.

Pero a pesar de su compasión y su preocupación por el dilema de Ludo, Natalie tampoco podía ignorar sus propias necesidades. Quería dejarle claro que no iba a aceptar todo lo que él quisiera para hacer su vida más fácil solo porque hubiera pagado más dinero a su padre. Él había dicho que no era un chantajista, pero tenía fama de despiadado en los negocios y ella no quería acabar sintiéndose como una tonta.

–Sé que la situación con tus padres ha sido muy difícil para ti –dijo. Apretó las manos en el regazo con nerviosismo–. Pero para mí tampoco ha sido fácil. Entiendo por qué me has traído, porque es más fácil para ti afrontar la situación con tu padre si tienes un aliado, pero me preocupa que me consideres uno de tus tratos de negocios y busques solo lo que tú deseas sin tener en cuenta mis sentimientos.

Notó que Ludo tensaba los hombros y apretaba el volante con fuerza. Él apartó un momento la vista de la carretera para mirarla.

–¿Esa es la impresión que tienes de mí, Natalie? ¿Qué solo te considero un negocio y no te veo como una persona con tus propias necesidades?

La sorpresa y el dolor de su voz hicieron que ella se sonrojara.

–¿Sí me consideras? –preguntó. Sus ojos se llenaron de lágrimas y bajó la voz hasta casi un susurro–: ¿Te importa lo que sienta?

–El hecho de que lo preguntes indica que no crees que sea así. Me parece que será mejor que terminemos esta conversación en casa.

Se concentró en conducir y Natalie miró por la ventanilla.

Cuando llegaron a la villa, atardecía ya. Ludo le

abrió la puerta para que entrara delante y luego pasó a su vez y se dirigió a las escaleras.

–¿A dónde vas? –preguntó ella.

Lo siguió y vio con sorpresa que él se quitaba la camisa por el camino. La visión de su musculatura bronceada y sus hombros atléticos hizo que se le acelerara el corazón por efecto de la excitación. ¿Qué narices hacía?

Antes de poder alcanzarlo, vio que entraba en su dormitorio sin volverse a mirar si ella lo seguía. Natalie respiró hondo y llamó con los nudillos a la puerta. Aunque estaba entreabierta, no quería arriesgarse a entrar sin anunciarse.

–¿Ludo? Sé que seguramente no estás de humor para hablar, pero estás empezando a preocuparme. No quiero que la conversación del coche se enquiste entre nosotros y haga que dejemos de comunicarnos. ¿Puedo entrar?

–Por supuesto. A menos que quieras que hablemos uno a cada lado de la puerta.

Natalie se pasó una mano nerviosa por el vestido y entró. Ludo estaba delante de la enorme cama con dosel que dominaba la estancia y la miraba.

–¿Por qué te has quitado la camisa? –preguntó ella.

–Quería librarme de la mancha de desaprobación de mi padre. Si me la dejaba puesta, podía pegarse a ella y crear una sombra ahí. No quería eso.

Dejó la prenda sobre la cama y miró a Natalie con una sonrisa de provocación. Su torso estaba desnudo y ella se esforzó por superar el impacto que le causaba su belleza e intentar hablar con sensatez.

–¿Y no estás enfadado conmigo por lo del coche?

–No.

Natalie suspiró.

–No puedes descartar lo que ha pasado con tu padre. No será tan fácil como quitarte la camisa. Si quieres hablar de ello, soy una buena oyente.

–¿Y escucharás mis penas aunque receles de mis motivos?

A ella le dio un vuelco el corazón.

–He tenido que oír cómo les decías a tus padres que me vas a comprar un anillo de compromiso mañana y que habrá una boda en el otoño cuando nada de eso es verdad. Pero ahora que conozco a tus padres, sé que no pretendías hacer ningún daño con la mentira. Si quieres hablarme de algo, estoy dispuesta a escuchar y a intentar ayudar si puedo.

–Puede que no sea cierto que nos vayamos a casar en el otoño, pero sí pienso comprarte un anillo de compromiso. ¿Asumo que vas a seguir cumpliendo tu parte del trato?

Natalie apretó los labios. Asintió con la cabeza.

–Sí. Pero de momento me gustaría que te abrieras un poco y me dijeras lo que sientes de verdad.

Ludo hizo una mueca.

–¿Crees que me sentiré mejor si lo hablo? ¿Es eso lo que dices? ¿No crees que ya he hecho bastante de eso por hoy? Ya has visto cómo se lo ha tomado mi padre; solo he conseguido empeorar las cosas entre nosotros.

–Probablemente se siente igual que tú en este momento. En lugar de sentirse justificado en su terquedad, apuesto a que le gustaría poder retroceder en el tiempo y actuar de otro modo. Tú eres su hijo y estoy segura de que te quiere mucho.

Ludo hizo una mueca de desconfianza.

–No quiero seguir hablando de esto. Lo que quiero es tomar una copa, a ser posible de algo fuerte –se frotó la barbilla con irritación; seguramente se sentía arrinconado.

–Y eso lo va a solucionar todo, ¿verdad? –Natalie frunció el ceño. Era increíble lo terco que podía ser. Sin duda había heredado eso de su padre.

–No, pero hará que me sienta mucho mejor que en este momento después del desastre de la reunión familiar.

Sus ojos azules brillaron con furia, pero esta desapareció con la misma celeridad con que había aparecido y la mirada que fijó en Natalie expresaba otra cosa: una lujuria inconfundible.

–A menos –dijo él–, que a ti se te ocurra otro modo de hacer que me sienta mejor.

Natalie sintió un calor repentino e intenso.

–No puedo –murmuró–. Pero eso no significa que quiera que bebas. Mi padre recurrió al alcohol cuando no pudo lidiar con su desesperación y te puedo asegurar que eso solo empeoró las cosas. ¿Eso es lo que quieres? ¿Sentirte peor que ahora? Es mejor hablar que dejar que se infecten tus sentimientos y te hagan enfermar.

–Para tu padre ha debido de ser maravilloso tener una hija como tú. Tan sabia y tan indulgente.

Natalie se sonrojó porque no sabía si él era sincero o sardónico.

–Cuando quieres a alguien, deseas hacer todo lo posible por ayudarles cuando lo necesitan –respondió.

–Estoy de acuerdo. Pero ¿y si a veces los necesitas tú más que ellos a ti? ¿Crees que eso te convierte en una mala persona?

–Por supuesto que no –Natalie se colocó el pelo detrás de la oreja con mano temblorosa y se dio cuenta de que Ludo podía haber tomado sus palabras de ayudar a la gente que quería como una crítica a su huida después del funeral de su hermano en lugar de haberse quedado a ayudar a sus padres a lidiar con el dolor–. Espero que no creas que ha sido insensible por mi parte, solo intentaba explicar lo que me motivaba a mí a ayudar a mi padre.

–¿Acaso es posible que tú puedas ser insensible? Me parece que no. Ven aquí.

–¿Por qué?

Él se encogió de hombros.

–Quiero hablarte. También quiero disculparme por hacerte creer que no tengo en cuenta tus sentimientos.

Le hizo señas de que se acercara y le sonrió de un modo lento y seductor. Natalie hizo lo que le pedía porque no pudo resistirse, pero las piernas le temblaban de tal modo que no supo cómo lo consiguió.

Cuando estuvieron frente a frente, Ludo alzó la mano y la deslizó debajo del pelo sedoso de ella hasta colocar la palma en su nuca. Su contacto y la cercanía de su cuerpo la hicieron quedarse inmóvil. Le ardían los pezones por el ansia de que él los tocara. Nunca en su vida había sentido tanto deseo por nadie.

–Te dije que solo espero compartir mi lecho si vienes por propia voluntad –le recordó él con voz ronca.

–¿Por eso has dicho que querías hablarme? –ella estaba cautivada por la forma de sus labios y el calor que le llegaba desde el cuerpo medio desnudo de él.

–¿Sabes cuánto tiempo he esperado que llegara una chica como tú a mi vida?

–¿Qué quieres decir? ¿Que esperabas conocer a una chica corriente que no se moviera en los mismos círculos que tú?

–Tú no tienes nada de corriente, y me da igual de dónde procedas o en qué círculos te muevas. Solo digo que te deseo.

–¿Por qué?

Ludo le apretó el trasero a través del vestido y la estrechó contra sí. Ella sintió la dureza y el calor de su miembro a través del pantalón, y él no intentó ocultárselo.

–Creo que ya hemos hablado demasiado –dijo–. Seguro que cuando has llamado a la puerta y preguntado si podías entrar...

Natalie suspiró. Ludo le desabrochó la cremallera del vestido y se lo bajó por los hombros. Deslizó los dedos debajo de los tirantes del sujetador de encaje negro que ella había comprado para ese viaje y se lo quitó. La miró un instante como retándola a negárselo y a continuación le tomó los pechos y bajó la boca hasta uno de los pezones erectos. Lo acarició con la lengua y mordisqueó con los dientes, y las sensaciones llegaron hasta el vientre de ella. El placer-dolor fue tan intenso que se aferró a la cabeza de él con un gemido. Unos segundos después, él alzó la vista, le bajó el vestido hasta los pies y la ayudó a salir de él. Cuando Natalie se quitaba los zapatos temblando, él la sujetó con firmeza por las caderas.

–¿Sabes lo hermosa que eres? Pareces una diosa –declaró–. Tan hermosa que me duele mirarte.

Hablaba en serio. Ella poseía un cuerpo exquisito, realzado por una cintura imposiblemente delgada y caderas amplias. Y con la cascada de su pelo brillante cayendo sobre los pechos le recordaba una vez más a una imagen mitológica de Atenea o Andrómeda.

Colocó una mano debajo de sus muslos y la otra en su espalda. Su piel era suave como el terciopelo y la experiencia de tenerla en brazos era uno de los placeres más intensos que había conocido. Con el pelo de ella rozándole el brazo y el aroma de su perfume saturando sus sentidos como un siroco caliente y sediento, era una mujer que provocaba fantasías sexuales únicas.

Pero no era solo su cuerpo lo que la atraía de ella. Su aire de inocencia resultaba muy refrescante después del desfile de ejecutivas, modelos y cazafortunas con las que había salido. Había adivinado que sus padres la adorarían. ¿Y por qué no? Ella era el tipo de mujer que ellos querían que encontrara. Y detrás de su deseo, detrás de la esperanza a la que no se atrevía a poner nombre, había celos de cualquier otro hombre que la hubiera conocido íntimamente. ¿Se habían dado cuenta del gran regalo que tenían entre manos?

Apartó a un lado sus celos y depositó a Natalie sobre la colcha de seda. La miró y ella le devolvió la mirada. El deseo era inconfundible en sus ojos y Ludo se excitó aún más.

Natalie contuvo el aliento. Los bíceps bien definidos bajo la piel bronceada de Ludo intensificaron el deseo que llevaba todo el día acumulándose en su sangre. Aquel hombre era la tentación personificada y siempre la dejaba atónita lo bien proporcionado y hermoso que era.

Él le sonrió y se tumbó a su lado en la cama. Se colocó a horcajadas sobre las caderas de ella. Se echó hacia atrás para quitarse el pantalón y ella dejó de pensar. Solo sabía que lo deseaba tanto como él a ella, si no más. Sin embargo, cerró momentáneamente los ojos cuando él se quitó el pantalón y los boxers azul marino que llevaba debajo, simplemente porque no pudo reprimir una punzada de ansiedad por si no conseguía complacerlo como un hombre de su experiencia podía esperar.

¿Cómo iba a poder si nunca había llegado hasta el final con un hombre?

¿Lo enfurecería descubrir eso? Natalie sabía que

no era habitual que una mujer siguiera siendo virgen a los veinticuatro años.

Su nerviosismo se evaporó de inmediato en cuanto Ludo la besó en los labios. Sus besos expertos eran para morir por ellos. Respondió con entusiasmo y su falta de experiencia no pareció importar nada. Le echó los brazos al cuello y se entregó al apasionado abrazo con todo su corazón, sin ponerse tensa cuando él le bajó las braguitas por los muslos. Sus únicas sensaciones en ese momento eran lujuria y deseo, y cuando él volvió a besarla con avaricia, a Natalie le pareció natural abrazarle la cintura con las piernas.

–Déjame amarte –le murmuró él al oído.

Ella le dedicó una sonrisa trémula, con las manos en los hombros de él.

–No hay nada que desee más –confesó.

En algún momento del proceso, él había sacado un preservativo del bolsillo y se puso en cuclillas para ponérselo, pero no antes de que Natalie se permitiera una mirada de curiosidad. Volvió a apoyar la cabeza en el almohadón de seda con un suspiro de contento y se preparó para recibirlo.

A la primera invasión, se mordió el labio inferior y no pudo negar el pinchazo de dolor que sintió, pero cuando el cuerpo musculoso de Ludo se quedó inmóvil por la sorpresa, ella tiró de él para alentarlo a continuar con un beso. Ya habría tiempo de sobra para esa conversación incómoda, por el momento solo quería que le hiciera el amor el hombre que sabía sin ninguna duda que le había robado el corazón. Un hombre que, en apariencia, tenía todo lo que significaba triunfar en el mundo... riqueza, propiedades, inteligencia... y el atractivo de una estrella de cine.

Pero en realidad carecía de lo que casi todo el mundo anhelaba: amor incondicional y aceptación. De la familia, los amigos y los colegas, y de la persona de la que se enamoraba. Esa última parte hizo que a Natalie se le acelerara el corazón, pues sabía que ella no le negaría nada a su amante. Ya no, ya le había entregado su regalo más precioso.

Ludo se hundió más hondo en ella y le tomó la mano cuando empezaron a moverse como uno solo. Su respiración se hizo más y más laboriosa a medida que sucumbía a la pasión que lo guiaba para buscar la liberación de su deseo.

El calor que consumía a Natalie desde que había entrado en la habitación estaba ahora en su punto álgido y su fuerza era como un mar feroz que la arrastraba hasta un lugar de no retorno.

Ludo, ya saciado, la abrazó con fuerza tumbado a su lado.

–¿Por qué no me has dicho que esta era tu primera vez? –preguntó.

Natalie lo miró a los ojos.

–¿Me habrías hecho el amor si te lo hubiera dicho?

–Eres demasiado irresistible para no hacerlo, pero habría intentado ser más gentil... más considerado.

–Me ha encantado que fueras tan apasionado. Puede que no tenga experiencia, pero sí tengo deseos... igual que tú.

Ludo estaba confundido con su respuesta. Confundido y encantado. Nunca había conocido a una mujer como ella.

–¿Por qué has esperado tanto para entregarte a alguien?

Ella se sonrojó y Ludo le dio un beso en la frente.

–Mi madre siempre me ha dicho que esperara hasta que llegara el momento oportuno... hasta que estuviera segura de que el hombre al que entregara mi virginidad era digno de ella. Hoy he sabido que era el momento indicado y que el hombre era digno.

–¿Ves lo que has hecho ahora?

–¿Qué he hecho?

–Has conseguido que vuelva a desearte.

Ludo la penetró con una sonrisa, orgulloso y complacido de que ella cubriera su miembro como un exquisito guante de satén.

–Pero, esta vez, aunque no seré menos apasionado, intentaré ir más despacio y saborearte más para que puedas conocer un gran placer.

Ella abrió mucho los ojos.

–¿Quieres decir lecciones de amor?

Ludo soltó una carcajada y cortó cualquier tentación futura que pudiera tener ella de hablar con un beso sexy y sentido.

Capítulo 11

AUNQUE la visita a casa de sus padres no había ido tan bien como le hubiera gustado, luego había vivido una de las veladas más maravillosas de su vida. Natalie lo tenía conquistado. El aire de inocencia que había percibido en ella había demostrado ser cierto. Pero le sorprendía hasta dónde llegaba esa inocencia. Y le sorprendía todavía más que le hubiera entregado voluntariamente esa inocencia a él. A pesar del altercado con su padre, Ludo caminaba como entre nubes... y estaba dispuesto a llevar a su amante a cenar.

Ya no le importaba que lo vieran los habitantes del lugar y supieran que había vuelto, ni tampoco que lo juzgaran mal. Era extraño, pero, con Natalie a su lado, sentía que podía lidiar con cualquier cosa... incluido saber que probablemente nunca tendría el amor y la buena consideración de su padre.

Su restaurante favorito, con vistas a la bahía bañada por la luz de la luna, estaba lleno de turistas y residentes, y en cuanto entraron Natalie y él, varias cabezas se volvieron a mirarlos. Ludo lo achacó a que su compañera estaba guapísima con un vestido de color menta y una pashmina de color crema que se había echado por los hombros y sintió una oleada de orgullo.

–Bienvenidos. Adelante –los saludó el personal del restaurante.

Acostumbrado a conseguir una mesa dondequiera que iba, Ludo decidió no ir a ninguna otra parte cuando le dijeron que esa noche estaban completos, pero que jamás los rechazarían a su compañera y a él. Sostuvo sonriente la mano de Natalie y esperó con paciencia a que hicieran espacio en una de las mejores partes del restaurante e instalaran una mesa. El maître, al que Ludo conocía desde hacía años, los atendió personalmente y, siguiendo sus instrucciones, un camarero y una camarera jóvenes les llevaron apetitosos platos de *mezes* y unas copitas de *ouzo* para celebrar su regreso a casa.

Pero aunque el personal se comportaba de un modo impecable, Ludo veía en sus ojos que les costaba reprimir la curiosidad. Tres años atrás había leído especulaciones en la prensa griega sobre por qué había abandonado con tanta brusquedad el país después del funeral de su hermano y la imagen que habían dado de él no había sido muy buena.

–Todo el mundo parece contento de verte –comentó Natalie con ojos brillantes.

–Por supuesto –comentó Ludo–. Habla el dinero.

–Por favor, no seas cínico. Esta noche no. Soy muy feliz y quiero seguir sintiéndome así... al menos hasta que termine el día.

Ludo le tomó la mano.

–Me temo que mi cinismo con la gente se ha convertido en costumbre, pero eso no significa que no pueda cambiar –comentó sonriente.

–Esò es cierto –asintió ella.

Ludo alzó su mano y le besó los nudillos.

–Eres una mujer peligrosa –musitó, bajando la voz–. Un beso y una mirada de aprobación de tus embaucadores ojos y estoy acabado. Lo que de verdad quiero hacer ahora es llevarte a casa y enseñarte más lecciones sobre el amor.

Ella se sonrojó, tal y como él esperaba.

–Bueno... sé que tengo mucho que aprender. Pero, por tentador que resulte eso, antes me gustaría comer algo. ¿Qué me recomiendas?

Ludo no se molestó en mirar la carta; se la sabía de memoria.

–Déjame a mí –sonrió e hizo una seña al maître, que se había quedado cerca.

Esa noche Natalie durmió en brazos de Ludo, con el dulce olor del jardín entrando por las ventanas abiertas del dormitorio. Tenía la impresión de que todo lo que había pasado adoptaba las cualidades mágicas de un sueño y deseaba que la vida imitara para siempre ese sueño.

Cuando despertó por la mañana temprano, con la cabeza en el pecho de Ludo, no pudo resistirse a pasar varios minutos simplemente inhalando su aroma y observando los rasgos atractivos que en ese momento parecían más pacíficos y vulnerables que nunca. ¿Por qué no podía verlo así su padre? Natalie se negaba a creer que su percepción estuviera teñida de rosa porque ella solo veía lo bueno de Ludo y porque estaba enamorada de él.

Pensó que de pronto se sentía muy ligera y libre. Plantó un beso suave en la barbilla de Ludo y salió de mala gana del lecho caliente. Lo dejó dormir, se puso unos vaqueros azul claro y una camiseta blanca de algodón y bajó a buscar café y quizá algún delicioso pan griego para acompañarlo. Pensó que hacer el amor abría el apetito, pues ella se moría de hambre.

Tomaba su segunda taza de café, cortesía de Allena, cuando Ludo salió a la terraza en su busca. Él también llevaba vaqueros, aunque con una camisa azul a juego con sus ojos. Natalie notó que no se había afeitado y tenía un asomo de barba, que le sentaba muy bien. Ese aspecto menos cuidado le daba un aire peligroso y sexy y a Natalie le cosquillearon los pezones al pensar en lo que habían hecho por la noche.

–Buenos días –dijo con una sonrisa.

–Buenos días –él se acercó, la tomó de las manos y la incorporó–. Me he preocupado al ver que no estabas a mi lado al despertar –dijo con voz ronca.

–He bajado a tomar café y comer pan. Tenía hambre.

–¿De verdad? ¿Y por qué me has dejado? Yo habría saciado tu hambre si te hubieras quedado en la cama conmigo.

Natalie tenía la sensación de estar al borde de un precipicio e ir a caer de un momento a otro. Clavó los dedos en la cintura dura de Ludo como si su vida dependiera de ello.

–Eres un chico muy malo –dijo con suavidad, con un leve temblor en la voz.

Él enarcó las cejas divertido.

–Si soy malo, es porque tú siempre me tientas. ¿Me prometes que nunca dejarás de ser la única tentación que no puedo resistir?

La besó con fuerza. Natalie estaba mareada de deseo y anhelo por él. La sangre le latía caliente en las venas como si ardiera por dentro. Cuando él le puso una mano en los pechos debajo de la camiseta, deseó haberse quedado en la cama en lugar de salir a buscar café.

–Disculpe, señor Petrakis; su padre quiere verlo.

La voz respetuosa y algo nerviosa de Allena hizo que ambos se volvieran sorprendidos. Ludo palideció. Se apartó de Natalie con una mirada de disculpa y se acercó a su ama de llaves.

–¿Dónde está? –preguntó.

Allena le dijo que lo había llevado a la sala de estar y estaba a punto de prepararle café.

–Dile que iré en un minuto.

Allena volvió dentro y Natalie se aceró a Ludo y le tomó instintivamente la mano. Él se encogió como si despertara bruscamente de un sueño. Era fácil ver que aquello lo había tomado por sorpresa.

–¿Estás bien? –preguntó ella.

–No del todo –Ludo soltó su mano y se pasó los dedos por el pelo revuelto–. Sea lo que sea lo que quiere decirme, no puede ser bueno.

–Eso todavía no lo sabes. ¿Por qué no vas a hablar con él en lugar de estar aquí preocupándote?

Ludo hizo una mueca.

–No puede ser bueno. Nunca lo es. Ve a terminar tu café, yo volveré pronto.

Natalie lo vio alejarse como si fuera a presentarse ante un pelotón de fusilamiento y pidió en su interior que lo que Alekos Petrakis tuviera que decirle a su hijo no hiciera que este se despreciara aún más por los trágicos sucesos de tres años atrás.

Cuando Ludo entró en la sala, su padre estaba de espaldas y Ludo se dio cuenta de que retorcía entre los dedos una larga hilera de cuentas de color naranja conocida como *komboloi*, que le había dado su padre cuando era joven. Se quedó un momento inmóvil. La última vez que le había visto usarlas había sido en el funeral de su hermano.

Respiró hondo para calmarse.

–Hola, padre. ¿Querías verme?

Alekos guardó inmediatamente las cuentas en el bolsillo de la chaqueta del traje y se volvió. A Ludo le sorprendió una vez más ver las profundas líneas de preocupación que arrugaban su frente.

–Ludovic. Confío en que no estuvieras a punto de salir.

–No inmediatamente, no –Ludo tenía planes para salir con Natalie esa mañana, pero podía retrasarlos.

–Me alegro. ¿Nos sentamos? Creo que tu ama de llaves va a traer café.

Se instalaron en dos sofás dorados colocados a ambos lados de una mesa de caoba tallada. Allena apareció casi al instante con una bandeja con café y un plato de *baklavas* pequeñas. Ludo le dio las gracias, pasó una taza y un platillo a su padre y le sirvió el café. Era un gesto sencillo, pero tuvo la impresión de que tenía más significado del que él percibía.

Alekos echó una cucharada de azúcar en el café y empezó a removerlo.

–¿Dónde está tu encantadora prometida esta mañana?

–Me espera en el patio.

–Aunque me gustaría que viniera, creo que es mejor que antes tengamos un momento a solas, ¿estás de acuerdo?

Ludo se encogió de hombros.

–Estoy de acuerdo. No tiene sentido incluirla en nuestra conversación si esta va a ser desagradable.

Alekos Petrakis movió la cabeza con gravedad, como si no pudiera creer lo que acababa de oír.

–¿Tan ogro soy que tú esperas automáticamente que las cosas entre nosotros sean desagradables? Si es así, lo lamento mucho.

Ludo, atónito, no supo qué contestar. Lo vio secarse una lágrima. Era la primera vez que veía llorar a su padre o mostrarse sentimental. ¿Qué pasaba allí?

–Más vale que me digas lo que quieres decir, padre. Estoy seguro de que debes de tener una razón para haber venido a verme.

Alekos dejó la taza y el platillo en la mesa, suspiró pesadamente y cruzó las manos en el regazo.

–He venido a decirte que te quiero, hijo mío. Y a decir que lamento muchísimo que no lo hayas sabido en todos estos años. Tu madre y yo tuvimos una larga conversación anoche y me hizo darme cuenta de lo tonto y terco que he sido... De lo ciego que he estado contigo. Era el miedo lo que me hacía ser así. Miedo a perderte.

Ludo lo miró fijamente. Tenía la boca seca.

–¿Cómo que miedo a perderme?

Alekos clavó los ojos en los suyos.

–Nunca te lo hemos dicho, pero naciste prematuro y estuvimos a punto de perderte. Los doctores trabajaron día y noche para salvarte la vida. Un día teníamos grandes esperanzas de que ibas a sobrevivir y al siguiente...

Se le quebró al voz, pero se obligó a continuar.

–Al siguiente nos preparábamos para enterrarte. Los médicos nos dijeron que, aunque vivieras, nunca serías fuerte. Cuando por fin te llevamos a casa, tu pobre madre te vigilaba día y noche y yo me convencí de que era culpa mía que fueras tan débil, de que mi simiente era mala. ¿Qué otra razón podía haber? Theo era grande y fuerte. ¿Por qué tú no?

Alekos se puso en pie y sacó un pañuelo para secarse la frente.

–Ahora entiendo que esa lógica era ridícula. Tu madre siempre decía que Theo era el grande y fuerte pero que tú eras el guapo y el inteligente. ¡Ojalá hubiera visto eso cuando eras niño! Porque tu madre resultó tener razón. Pero da igual que seas guapo y listo o grande y fuerte, lo que importa es que sepas que estoy orgulloso de ti y te quiero tan profundamente como quería a tu hermano. ¿Puedes perdonarle a un viejo tonto la estupidez del pasado para que pueda construir una relación más feliz con su adorado hijo en el futuro?

Ludo, que ya estaba de pie, se acercó a su padre y lo abrazó con fuerza. Fue como si el dique que encerraba sus sentimientos detrás de las puertas de su corazón se abriera de pronto y el alivio que le produjo le dio la sensación de que podía volver a respirar libremente.

–No hay nada que perdonar, padre. Yo también cometí un grave error al creer que no me querías tanto como a mi hermano. Yo también tengo una vena testaruda y a veces creo que tengo razón cuando estoy equivocado. Lamento profundamente haberme ido cuando murió Theo. Me convencí de que tú no tenías tiempo para mí, de que mis logros no eran tan dignos de consideración como los de él y de que, si me quedaba, sería como frotar sal en la herida de haberlo perdido.

–Él estaría furioso con los dos por ser tan tercos y haber perdido tanto tiempo sintiéndonos agraviados, ¿no?

Ludo se soltó del abrazo y dio una palmada a su padre en la espalda.

–Creo que sí. Pero también le haría feliz que lo hayamos reconocido por fin. Y a mi madre le pasará lo mismo cuando se lo digas. Nada me hará más feliz que saber que se siente más tranquila con nuestra relación.

–Tengo una pregunta para ti –dijo su padre.

–¿Cuál?

–Tu isla... Margaritari. ¿Qué piensas hacer con ella? Hace mucho tiempo que no permites que vaya nadie y parece una lástima que desperdicies así un lugar tan hermoso que podría causar placer a la gente. Y no deberías permitir que lo ocurrido con Theo te estropee tu placer por ella.

–Confieso que he echado de menos ir allí. No hay otro lugar como ese en el mundo. Cuando la visitamos de niños, Theo y yo supimos que era especial. Por eso la compré en cuanto tuve ocasión.

Su padre se quedó pensativo.

–Pues ve a verla de nuevo. Llévate a Natalie y crea recuerdos alegres allí para contrarrestar los dolorosos. Creo que deberías hacerlo, hijo.

Ludo también lo creía. Pero antes había algo importante que tenía que hacer... algo relacionado con comprar un anillo de compromiso.

Alekos le pasó un brazo por los hombros.

–Vamos a buscar a tu prometida. Quiero decirle que hemos hecho las paces y también que estoy orgulloso de que mi hijo se haya dejado guiar por el corazón y no por la cabeza a la hora de elegir a una mujer tan encantadora para que sea su esposa. Lo cual me recuerda... ¿no ibais a comprar un anillo de compromiso hoy?

–Pues sí –respondió Ludo–. Así es.

–Bien. Podemos vernos esta noche para que tu

madre y yo veamos el anillo y luego salimos a cenar para celebrarlo.

Natalie se alegró mucho cuando Ludo apareció con su padre y le dijeron que ya no había tensiones ni rencores entre ellos. Después de esa revelación, tomando café con ellos, descubrió que Alekos Petrakis tenía bastante sentido del humor, pues se dedicó a contarle anécdotas de su infancia y de los líos en los que se había metido de chico.

–No siempre he sido el ciudadano ejemplar que tienes hoy ante ti –confesó él.

Pero aunque disfrutaba con sus historias, Natalie no podía evitar sentirse un poco triste. Alekos la miraba como a su nuera y ella no podía evitar lamentar que no fuera verdad. ¿Cómo reaccionarían su esposa y él cuando se enteraran de que todo había sido un engaño? ¿Que, probablemente, cuando saliera de Grecia, no volvería a ver a su carismático hijo, aunque lo amaba en secreto con todo su corazón?

Cuando Alekos se despidió, después de hacerles prometer que esa noche irían a mostrarles el anillo de compromiso que habían elegido, Natalie casi sentía náuseas.

Ludo, en cambio, se mostraba relajado y feliz.

–¿Harás algo por mí? –preguntó, abrazándola cuando volvían de despedir a su padre.

–¿Qué?

A él le brillaron los ojos.

–Quiero que subas y te pongas algo bonito. ¿Quizá el hermoso vestido que llevaste nuestra primera noche aquí? Me gustaría hacernos fotos cuando compremos el anillo.

Natalie parpadeó.

–¿No crees que esta farsa ya ha ido bastante lejos, Ludo?

–No sé a qué te refieres.

–¿Estás diciendo sinceramente que quieres mantener el engaño de que estamos prometidos? A tu padre se le partirá el corazón cuando descubra que no es verdad, y yo personalmente no quiero ser responsable de eso. Es un buen hombre y acabas de reconciliarte con él después de años en los que apenas os hablabais. ¿Cómo crees que se va a sentir cuando descubra que lo has tomado por tonto?

Ludo apartó la mano de la cintura de ella.

–¿Has olvidado el trato que hicimos antes de venir?

Natalie movió la cabeza con tristeza.

–No he olvidado nada, incluido lo que dije de que me haría pasar por tu prometida hasta que eso se volviera demasiado difícil o insostenible. Y debo decir que eso es lo que es ahora. Insostenible.

Se dirigió a la escalera de mármol con la cabeza alta y el corazón traspasado por una pena insoportable, pero sin mirar atrás.

Capítulo 12

LA PUERTA del dormitorio se abrió cuando Natalie ponía su maleta sobre la cama para guardar sus cosas. Se secó apresuradamente con el canto de la mano las lágrimas que nublaban su visión y se volvió. Ludo estaba en el umbral con los brazos cruzados y una sonrisa enigmática en los labios.

–No puedo creer que encuentres divertida esta situación –gruñó ella–. El hecho de que sea así me indica que no eres el hombre que creía que eras.

–No me divierte nada que creas que mi padre es un hombre demasiado bueno para que lo engañemos con nuestro compromiso. Nada.

–¿Y se puede saber por qué sonríes?

Ludo se acercó a ella. Natalie captó el olor de su colonia y se le hizo un nudo en el estómago. ¿Cómo iba a soportar no volver a verlo más? Sus sentimientos por él no eran pasajeros. Estaba loca por él, a pesar de que la estuviera usando para conseguir sus propios fines. No importaba que hubieran hecho un trato ni que él hubiera cumplido su parte porque Natalie ya no podía cumplir la suya. ¿Cómo iba a hacerlo si ya le parecía imposible contemplar una idea tan dolorosa?

–Has llorado –observó él.

–Sí, he llorado –ella sacó un pañuelo arrugado del bolsillo de los vaqueros y se sonó la nariz.

–¿Por qué?

–¿No lo adivinas? Lloro porque tú tenías razón. Me partirá el corazón dejarte. Y tampoco quiero irme de Grecia. No quería volver a casa tan pronto, pero tengo que hacerlo. Pensaba que podía hacer esto, pero no puedo, porque ahora conozco a tu madre y sé lo mucho que significa para ella que conozcas a alguien especial y estés prometido y conozco a tu padre y sé lo mucho que te quiere. No puedo hacerlo porque no soy una mercenaria y no quiero hacer daño a la gente. Si quieres demandarme por incumplir nuestro trato, adelante. Yo no puedo impedírtelo.

–Has dicho que te partirá el corazón dejarme. ¿Eso es verdad?

Ludo se acercó un poco más y sonrió. Natalie notó que se sonrojaba. Tragó saliva con fuerza.

–Sí. No quiero colocarte en una posición incómoda, pero es verdad.

–¿Y por qué me vas a colocar en una posición incómoda diciéndome algo tan increíble?

–No quiero que sientas que tienes que hacer algo al respecto. Ya es bastante malo que vaya a sufrir gente porque yo no puedo seguir con mi parte del trato.

–¿Te refieres a mis padres? –preguntó él con semblante grave.

–Pues claro que me refiero a tus padres.

–¿Y yo qué, Natalie? ¿Te has parado a pensar que yo podría sufrir si no cumples nuestro trato y accedes a ser mi prometida?

–¿Quieres decir si no finjo ser tu prometida?

–Yo ya no quiero que finjas.

Se acercó más todavía, hasta que estuvo tan cerca que su aliento cálido abanicó el rostro de ella. Todos los rasgos de su rostro, que tan queridos le resultaban a ella, le provocaron un dolor nuevo en el corazón, porque, después de ese día, quizá no volvería a verlos.

Entonces captó lo que él acababa de decir y lo miró sorprendida.

–¿Qué has dicho?

–He dicho que ya no quiero que finjas ser mi prometida. Quiero que nos prometamos de verdad.

–Estás bromeando.

–No. Quiero que nos prometamos oficialmente para casarnos. Lo digo muy en serio.

Al terminar su declaración, tomó la cara de ella en sus manos con ternura y la besó apasionadamente en los labios. Ella no pudo hacer otra cosa que responder. Las lecciones de amor que le había dado la habían vuelto adicta a sus caricias, a los besos lentos y cautivadores que la dejaban tan débil por el deseo que no podía pensar claramente... ni siquiera podía recordar su nombre cuando él le hacía el amor.

Cuando él terminó por fin el beso, Natalie se alegró de que la tuviera abrazada por la cintura o podría haberse caído.

–Esto no es una broma, ¿verdad? –preguntó con voz ronca, con la vista fija en los embaucadores ojos azules de él.

–No, no es una broma. Yo jamás sería tan cruel. Hablo en serio. No quiero un compromiso fingido, quiero uno de verdad. Así que ya no tienes que preocuparte de engañar a mis padres. Quiero sinceramente que seas mi esposa. Cuando te compre un anillo de compromiso hoy, quiero que sea de verdad.

–Pero ¿por qué quieres eso?

–¿De verdad necesitas preguntarlo? ¿No lo has adivinado ya? –Ludo respiró hondo; sonrió con calor sin dejar de mirarla a los ojos–. Te amo, Natalie. Te quiero con todo mi corazón y creo que no podría soportar la idea de vivir sin ti. Por eso quiero casarme contigo.

Natalie, atónita, guardó un momento de silencio. Luego le tocó la mejilla con ternura y le devolvió la sonrisa.

–Yo también te quiero, Ludo. No consideraría casarme contigo si no fuera así. Tú llegaste a mi vida como un torbellino y volviste del revés todo lo que pensaba de mí misma y todo lo que quería. Sé que puede parecer ridículo, pero casi me había resignado a permanecer soltera toda la vida porque no podía imaginarse casándome con alguien si no era por amor verdadero.

–Yo pensaba lo mismo. Anhelaba encontrar a una mujer auténtica que fuera mi amiga y mi compañera además de mi amante. La idea de que una mujer pudiera casarse conmigo solo por mi dinero me daba mucho miedo.

–Yo jamás me casaría contigo por tu dinero –Natalie frunció el ceño–. Soy una chica anticuada que cree que hay alguien para todo el mundo, que cuando dos personas se enamoran, está escrito en las estrellas –se sonrojó–. Y creo que estaba escrito en las estrellas el día que nos conocimos en el tren y pagaste mi billete. Sobre todo cuando luego resultaste ser el hombre que compraba el negocio de mi padre. La gente a veces me interpreta mal porque tengo una faceta muy pragmática, pero ha tenido que ser así. Cuando mi padre nos dejó, tuve que ser una amiga y un apoyo para mi madre y ayudarla a montar un negocio para que tuviéramos ingresos. Pero sigo siendo una romántica incurable. Aprendí temprano en la vida, por lo que pasó con mis padres, que el dinero no garantiza que vivirás siempre feliz con alguien. Eso solo pasará si el amor de los dos es más importante que todo lo material.

Ludo le alzó la barbilla y le robó un breve beso. Cuando levantó la cabeza para calibrar la reacción de ella, pareció encantado de ver que había vuelto a sonrojarse.

–Una vez te dije que tienes una voz muy sexy, ¿recuerdas? Y aunque me encantaría seguir escuchándote, tenemos una cita especial con mi amigo joyero. Va a cerrar la joyería toda la tarde para que tardemos todo lo que nos apetezca en elegir un anillo. Es un diseñador muy valorado y creará algo exquisito solo para ti. Eso puede tardar unas semanas, pero tengo intención de comprarte también un anillo hermoso que podamos llevarnos hoy para que el mundo sepa que pensamos casarnos. Y creo que debemos irnos ya.

–Todo eso suena muy caro, Ludo. ¿No crees que con un anillo bastará?

Él le robó otro beso y le pellizcó juguetonamente la mejilla.

–Tú no te pareces a las mujeres que se mueven en mi círculo, amor. La mayoría de ellas se fijan en un hombre que pueda mantenerlas con el estilo que creen merecer y no les importa si es una buena persona ni tampoco si les gusta mucho, siempre que sea rico. Pero contigo ya sé que me amas por mí mismo y no por las cosas materiales que te pueda ofrecer. Por lo tanto, me agradaría que hoy me siguieras la corriente con esto.

–Si tanto significa para ti, lo haré.

–Bien.

–¿Puedo hacerte una pregunta? ¿Algo de lo que no hemos hablado?

Él apoyó ligeramente las manos en las caderas de ella y asintió.

–¿De qué se trata?

Natalie hizo una mueca. No era una pregunta fácil.

–¿Has tenido muchas amantes antes de mí?

–No. No muchas. Muy pocas y ninguna de ellas memorable. No fueron elecciones buenas. Pero no me interesa hablar del pasado –Ludo suspiró–. Me interesa mucho más lo que sucede ahora y la mujer encantadora que tengo delante... la mujer que, milagrosamente, me ha dicho que me quiere y que le partiría el corazón dejarme.

–Es cierto –esa vez fue ella la que se puso de puntillas y le dio un beso en la mejilla–. Te quiero con todo mi corazón. Y, si tú quieres una fotografía de nosotros para señalar el momento de nuestro compromiso, iré a ponerme ese vestido que tanto te gusta y a arreglarme el pelo.

–¿Natalie?

–¿Sí?

–¿Te importa entrar a vestirte al baño? Porque, si te desnudas aquí, no creo que pueda resistir la tentación de ayudarte.

–Si lo haces, no llegaremos hoy a la joyería.

–Tienes razón. Vamos a concentrarnos en eso. Habrá tiempo de sobra más tarde para pensar en otras cosas.

La soltó de mala gana y ella entró en el cuarto de baño y cerró la puerta.

El aire perfumado era tan hipnótico como recordaba Ludo, y vibraba con el sonido soporífero de abejas e insectos. En la isla no había nadie y el único modo de llegar era por barco. Si había un lugar en el mundo en el que una persona no podía evitar relajarse y liberarse del estrés diario, ese lugar era Margaritari.

Ludo había seguido el consejo de su padre de regresar a la isla y crear recuerdos felices, y para lograrlo había llevado a Natalie con él. También había dicho a su padre que sentía que se había convertido en un hombre mejor por haberla conocido y haberse enamorado de ella y esperaba con todo su corazón que su matrimonio fuera tan largo y tan feliz como el de Eva y Alekos.

Caminó por la arena de la playa descalzo, mirando el mar tranquilo y murmurando una plegaria de agradecimiento por su buena suerte. Había hecho las paces con su padre y estaba enamorado de la chica más buena y hermosa del mundo. Y quería que todo el mundo lo supiera.

En ese momento, Natalie se hallaba en la sencilla pero elegante casita que había hecho construir para él, llamando a su padre. Ludo no había olvidado que su tradición cultural exigía que le pidiera la mano de ella en matrimonio, pero antes Natalie quería hablar con Bill Carr en privado y contarle por qué quería casarse con Ludo. Porque estaban locamente enamorados... era así de sencillo.

Dejó de andar y se quedó mirando el mar y el vasto horizonte que se extendía ante él. Recordó con tristeza a su hermano. Aunque había muerto demasiado joven, Ludo sabía que estaría complacido porque se había reconciliado con su padre y había conocido a Natalie. Tenía una fuerte sensación de que su querido hermano les deseaba todo lo mejor.

–¡Ludo!

Se volvió. Natalie corría hacia él por la arena, descalza y hermosa con el vestido de color verde que le había comprado él en el mercado de Lindos, con su precioso pelo largo cayéndole sobre los hombros como una catarata brillante. Llevaba en la mano un ramillete de adelfas y lavanda.

–Nos da su bendición y dice que puedes llamarlo cuando volvamos a la casa –ella sonrió–. También ha dicho que te diga que eres un hombre afortunado, un hombre muy afortunado.

–¿Cree que no lo sé? –Ludo la abrazó–. ¿O sea, que nos da su bendición y no le importa que te conviertas en la señora de Ludo Petrakis?

–Si eso es lo que yo quiero, entonces está contento. De hecho, mañana va a ir a ver a mi madre y darle la noticia personalmente. Parece ser que ella lo ha invitado a cenar –Natalie frunció el ceño–. Supongo que es bueno que hablen como es debido. En cualquier caso, mi padre dice que, si nos da su bendición para casarnos, es justo que se lo diga él.

–Parece que está contento. ¿Su salud ha mejorado?

–Mucho. No tienes ni idea de lo mucho que lo ayudaste cuando pagaste ese dinero extra. Dice que tiene muchas ideas para un negocio nuevo. Espero que le salga bien.

–¿Y por qué has traído estas flores a la playa, amor mío? Si quieres admirarlas, hay muchas por aquí. El jardín está lleno.

–Lo sé. Las he tomado de allí. A decir verdad, quería que dijéramos una plegaria por tu hermano y arrojarlas al mar en recuerdo suyo –musitó ella–. ¿Te importa?

–¿Si me importa? –Ludo movió la cabeza con

admiración–. Es muy propio de ti proponer algo así. Estoy muy orgulloso de haberte conocido... y más orgulloso todavía de que vayas a ser mi esposa.

–Pues vamos a hacerlo –ella lo miró a los ojos, se soltó de su abrazo y se acuclilló al lado del agua.

Ludo se colocó a su lado.

–Vamos a recordar a Theo Petrakis.

Ludo murmuró una plegaria en griego y la repitió a continuación en inglés para Natalie. Cuando terminó, ella lanzó una por una las flores al mar.

Estar en la isla era como estar de luna de miel. Todas las noches, después de hacer el amor apasionadamente con el hombre al que amaba, Natalie se dormía en sus brazos y todas las mañanas, poco después de despertar, corría al mar para darse un baño refrescante en el agua no calentada todavía por el sol. Después regresaba a la casita para desayunar con Ludo en la terraza.

Llevaban casi una semana en la isla y él había perdido su expresión recelosa que transmitía su cinismo sobre el mundo, una expresión que lucía de manera habitual cuando Natalie lo conoció. Parecía más joven cada día. Hasta fruncía menos el ceño, como si sus preocupaciones hubieran desaparecido. Natalie no pudo reprimir un suspiro de contento.

Ludo estaba sentando enfrente de ella ante la mesa de mimbre y la miró.

–¿Qué pasa? –quiso saber.

–Estaba pensando que pareces mucho más relajado que cuando nos conocimos. Debe de ser este lugar. Es mágico, ¿verdad?

–Definitivamente, tiene un toque paradisiaco –él se enderezó en la silla y se pasó los dedos por el pelo–. De hecho, es tan paradisiaco que he decidido que no está bien guardarlo solo para mí y para la familia y amigos. Estoy pensando en construir algo para que las familias con niños enfermos de la zona puedan venir aquí a descansar cuando lo necesiten. Por supuesto, no tendrían que pagar por ello. He pensado montar una fundación que lleve el nombre de Theo. ¿Qué te parece?

–¿Qué me parece? –Natalie sonrió con orgullo–. Me parece una idea maravillosa. ¿Puedo ayudarte a montarla? Si no voy a seguir trabajando con mi madre cuando nos casemos, me gustaría hacer algo útil, algo en lo que pueda creer.

–Por supuesto que puedes ayudar. Es decir... hasta que tengamos nuestro primer hijo. Yo creo que, si puede, la madre debe estar cerca de los hijos cuando son pequeños. ¿Qué opinas tú?

–Estoy de acuerdo –ella le apretó la mano con una sonrisa–. Quiero estar al lado de todos nuestros hijos mientras crecen. Siempre que su padre esté también allí lo más posible.

Ludo le alzó la mano y se la besó.

–Definitivamente, estamos de acuerdo en eso. ¿Has dicho «todos» nuestros hijos? ¿Eso implica que tendremos más de uno o dos?

Natalie sonrió.

–Yo había pensado en tres o cuatro.

–Y yo creo que voy a estar muy ocupado los próximos años si esos son tus planes. En cuyo caso, supongo que este es un buen momento para empezar a ponerlos en práctica.